U0359185

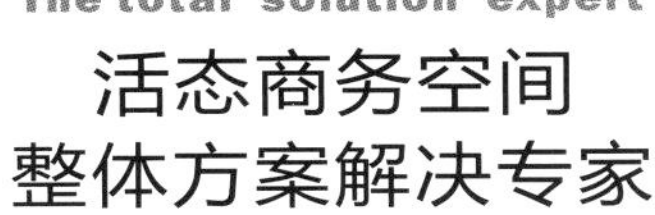
VICTORY

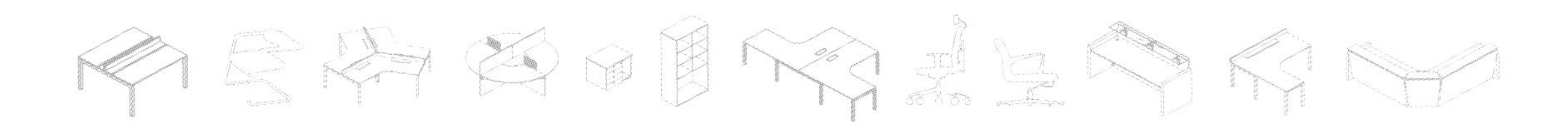

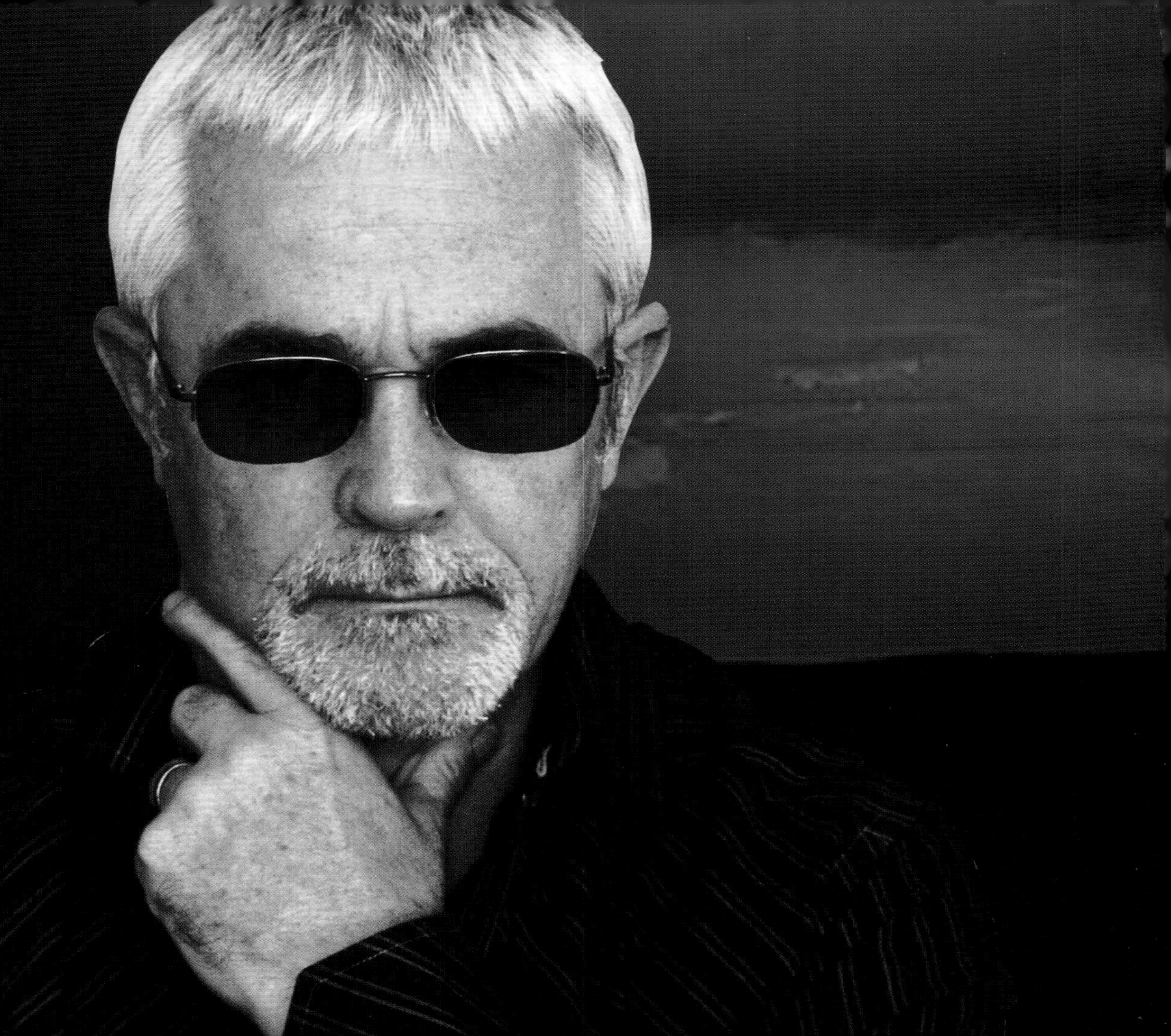

维沙华品牌代言人 黄晓明
维沙华水晶灯
心亮了世界就亮了
Riserva 维沙华
Riserva（维沙华）美术馆级水晶灯全国专卖店

瑪緹瓷磚
MATI CERAMICS
Mati Ceramics
Crazy for Vitality Crazy for
Beauty Crazy for MATI
爱年轻 爱美丽 爱玛缇
全国服务热线：4008 301 311
廣東瑪緹陶瓷有限公司
Guangdong MATI Ceramics Co.,Ltd
地址: 佛山市季華西路68號中國陶瓷產業總部基地西區C07-08
Add: C07-08,CCIH,NO.68 West Jihua Road
Foshan,Guangdong, China
http://www.mymati.com

[GREEN]③

| Gp (Green produce) | Gs (Green sell) | Gu (Green use) |

$[GREEN]^{③} = GP \times GS \times GU$

$GREEN^3$ = Gp (绿色生产) x Gs (绿色销售) x Gu (绿色使用)

Gp (Green produce)

Shenzhen Guangzhou Hong Kong

深圳 广州 香港

过程 • PROCESS

材

Ceilings and Walls Partner

你的天花与墙面好伙伴!!!

诚邀阁下 携手合作 共同创建 完美项目

We cordially invite you to cooperates any new project

倫勃朗家居
Rem Brandt Furniture

金牌亚洲陶瓷
GOLD MEDAL CERAMICS
打造中国喷墨砖第一品牌

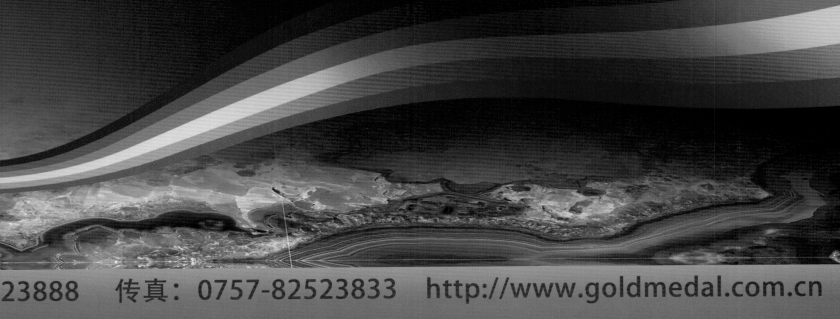

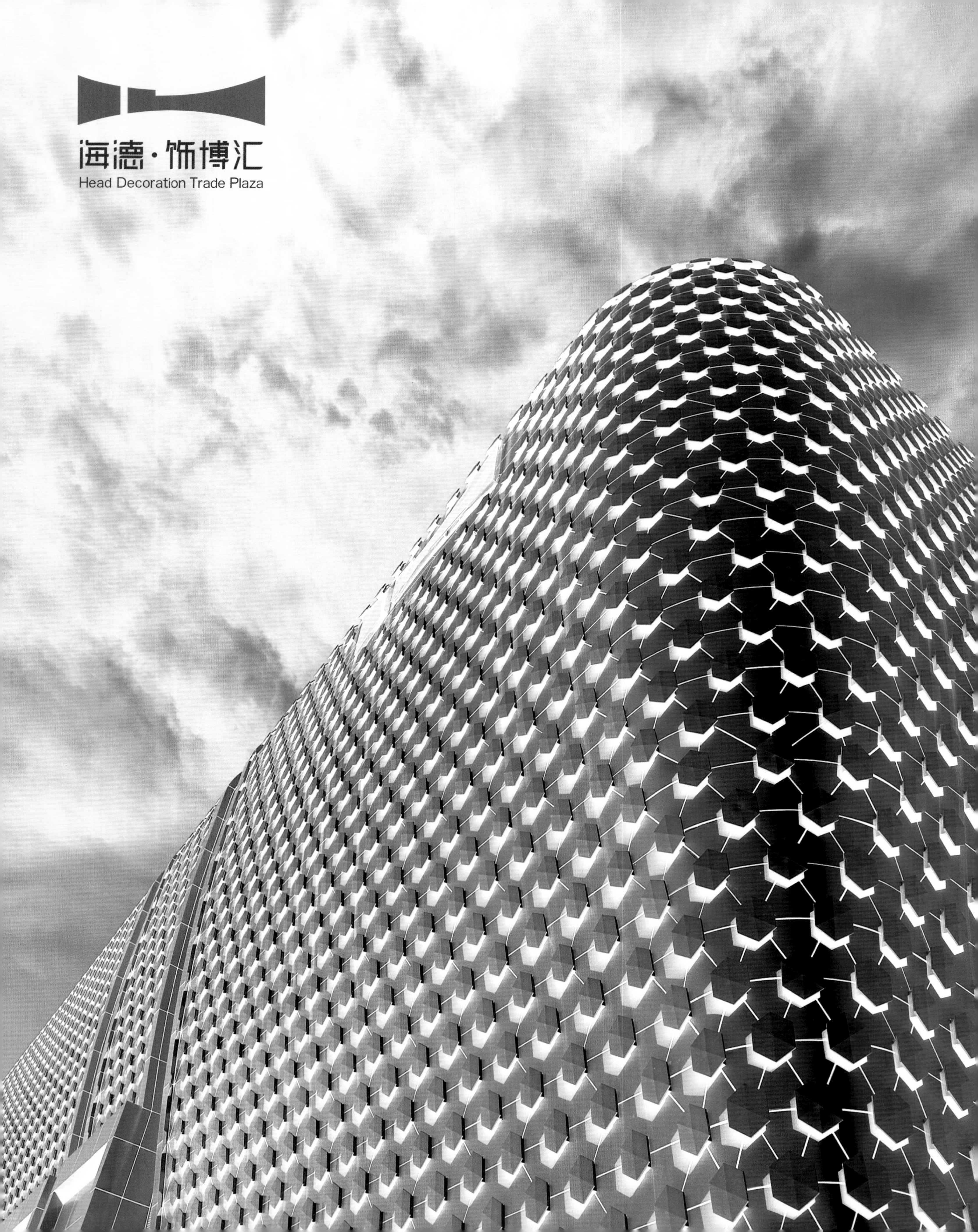
海德·饰博汇
Head Decoration Trade Plaza

易装修

China-Designer.com
中国建筑与室内设计师网

手机客户端

易装修在手，无论你身在何方所在何处
设计师、设计图库轻松掌握！！
更炫的图片效果，更智能的搜索功能，更贴身的服务

"易装修" IOS客户端
App store 商店下载

"易装修" Android 客户端
各大安卓商店下载安装

iPhone版"易装修"

用户直接通过手机苹果商店App Store搜索下载使用，或者通过 iTunes软件搜索下载安装

安卓版"易装修"

用户可以通过手机安卓商店搜索"易装修"下载使用

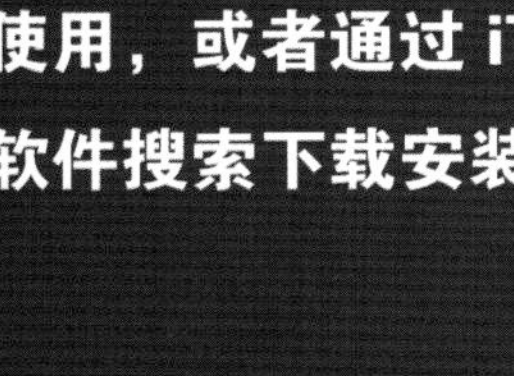

易装修

China-Designer.com
中国建筑与室内设计师网

iPad客户端

"易装修HD" IOS客户端
App store 商店下载

iPad版"易装修HD"

用户直接通过手机苹果商店App Store搜索下载使用，或者通过 iTunes软件搜索下载安装

爱浩思设计管理顾问公司成立于2005年，由广州爱浩斯信息科技有限公司发起并联合广州设计行业，各行业技术人才，在政府部门指导下，利用非国有资产、自愿举办、从事社会服务活动的专业社会团体组织。
我们的创新集成设计，解决方案与丰富的经验在各种各样的项目中得到高度认可，服务行业包括零售、娱乐、酒店、住宅、商业、文娱、教育和公益。我们携手国际高端设计团队，服务项目跨越中国、澳大利亚、德国、英国、意大利、加拿大、新西兰和日本。我们重视完善的沟通与健康的设计流程，鼓励多角度思维和前瞻的设计观念。寻找新视角，挑战现状。
爱浩思设计管理顾问公司坚持以“科技引导，注重实用，兼顾市场，合作共赢”为原则，以“科技、久远、和谐”为企业目标。充分发挥政府、行业组织、企业、高校的优势，协调整合国内外设计行业研究力量，实现重大项目联合申报、重点课题协同研究，集中力量解决设计行业发展的共性关键问题，发掘并发展广东省特别是珠三角地区设计行业的核心竞争力，为政府提供决策依据，为促进现代设计行业的持续、快速、健康发展，把广东建成亚太地区以设计培训、设计研发、设计生产、设计交流的枢纽中心。
UP

北京吉典博图文化传播有限公司是融建筑、美术、印刷为一体的出版策划机构。公司致力于建筑、艺术类精品画册的专业策划。以传播新文化、探索新思想、见证新人物为宗旨、全面关注建筑、美术业界的最新资讯。力争打造中国建筑师、设计师、艺术家自己的交流平台。本公司与英国、新加坡、法国、韩国等多个国家的出版公司形成了出版合作关系。是一个倍受国际关注的华语出版策划机构。

Beijing Auspicious Culture Transmission Co., Ltd. is a publication-planning agency integrating architecture, fine arts and printing into a whole. The Company is devoted to the specialized planning of the selected album in respect of architecture and art, and pays full attention to latest information in the fields of architecture and art, with the transmission of new culture, the exploration of new ideas, the witness of new celebrities as its tenet, striving to build up the communication platform for Chinese architectures, designers and artists. The Company has established cooperative relationships with many publishing companies in Britain, Singapore, France and Korea etc. countries; it is an outstanding Chinese publishing agency that draws the global attention.

Contributions Wanted... 征稿进行中……

室内·建筑·景观

感谢您的参与！

TEL: 010-68215537 010-67533200 E-MAIL: jidianbotu@163.com bjrunhuan@163.com

PUBLIC
公共

目录
CONTENTS

主案设计：
洪约瑟 Hong Yuese
博客：
http:// 190858.china-designer.com
公司：
洪约瑟设计事务所
职位：
总经理

奖项：
2003 亚洲最具影响力设计大奖Distinguished Design from China
2003亚太区室内设计年奖Winner
2003亚太区室内设计年奖Honourable Mention
2002英国ANDREW MARTIN 国际室内设计师年奖Shortlisted
2002亚太区室内设计年奖Shortlisted
2002亚太区室内设计年奖Winner
2002香港设计师协会年奖Certificate of Excellence
2001英国ANDREW MARTIN 国际室内设计师年奖Shortlisted
2001亚太区室内设计年奖Honourable Mention
2001亚太区室内设计年奖Shortlisted
2000英国ANDREW MARTIN 国际室内设计师年奖Shortlisted
2000香港设计师协会年奖Certificate of Excellence

港福堂
Kong Fok Church

A 项目定位 Design Proposition
圣域的形状似一只鸽子。其内部是“隆重的”，由多组直线重复组成。

B 环境风格 Creativity & Aesthetics
这个空间中的天花，照明，墙面处理，地板均根据音响学和美学的考虑。提供不同功能，不同的照明设置。

C 空间布局 Space Planning
主的圣殿位于中间的场地，其中最大的座椅可实现主要圣所。教会是在办公楼空间。舞台后设有男、女更衣室，方便洗礼者和舞台剧者更衣，同时可以被用来作为主讲嘉宾休息区。圣域之外厨房，图书馆，儿童游乐区，为兄弟姐妹享受，场地也可以举办小型展览等。圣所的上方是牧师、部长和员工的办公室。当主要的大厅过度拥挤时或有迟到者,也可作为另一个圣所。有各种规格的客房可毗邻或开放供不同规模的聚会。功能丰富，例如伴侣或兄弟姐妹团契，圣经研究，培训，讲座或辅导等。

D 设计选材 Materials & Cost Effectiveness
舞台和座位区划定了两个照明的色调，舞台用温暖色调， 座位用冷色调。十字架敞门背后隐藏着一个洗礼池。

E 使用效果 Fidelity to Client
整个场地年轻，有活力，休闲，灵活。

Project Name_
Kong Fok Church
Chief Designer_
Hong Yuese
Participate Designer_
Li Qijin
Location_
Jinzhong HongKong
Project Area_
2,815sqm
Cost_
231,000,000HK

项目名称_
港福堂
主案设计_
洪约瑟
参与设计师_
李启进
项目地点_
香港 金钟
项目面积_
2815平米
投资金额_
23100港币

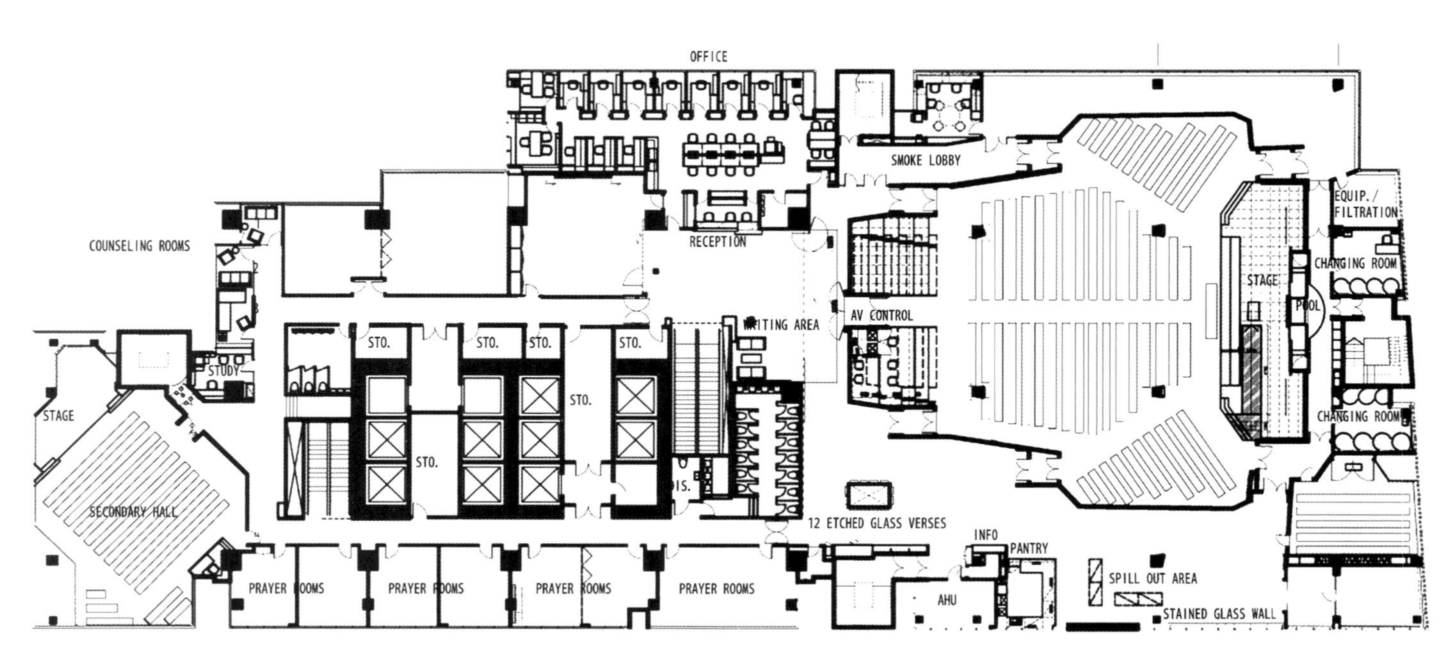

平面图

普天下去，傳福音給萬民聽
馬可福音 十

主案设计：
张清平 Zhang Qingping
博客：
http:// 1014218.china-designer.com
公司：
天坊室内计划有限公司
职位：
负责人

职称：
2011年美国International Design Awards - 商业空间室内奖、商业空间接待奖、商业空间会所奖
2011年香港透视大奖Perspective Awards - 公共空间设计奖、会馆空间设计奖
2011年深圳国际空间设计大奖艾特奖(Idea-Tops) - 最佳商业空间设计首奖、最佳住宅空间设计首奖、最佳展示空间设计
2012年英国 Andrew Martin Awards - 国际室内设计师大奖

项目：
上海合景新江湾一期售楼处
深圳纯水岸别墅
苏州合景尹山湖现代美式样板房
苏州合景尹山湖现代时尚样板房
新加坡Grange Infinite公寓
泉州宝珊花园别墅
青岛东盟经贸中心

全德中医诊所
ChanDer Chinese Medical Center

A 项目定位 Design Proposition
作品主题“游．观．居．空”，其本质讲求让心灵可游、让光线可观，让居得以舒放、让空得以开放，创造一个独特的疗愈空间。

B 环境风格 Creativity & Aesthetics
空间整体线条简单，极开放空间引领自然光导入让身体心灵得以沉静下来。

C 空间布局 Space Planning
心灵可以依空间光的导引而游自然与光的围绕注满身体的舒放安居放下一切的自由开放创造一个新疗愈空间，给一个与身体也与心灵对话的情境。

D 设计选材 Materials & Cost Effectiveness
在墙面上用粗矿石材打造，在光线下用自然素材构成，让身心灵尽情伸展同时深度呼吸。

E 使用效果 Fidelity to Client
身心得以舒展的空间。

Project Name_
ChanDer Chinese Medical Center
Chief Designer_
Zhang Qingping
Location_
Taizhong Taiwan
Project Area_
489sqm
Cost_
1,600,000RMB

项目名称_
全德中医诊所
主案设计_
张清平
项目地点_
台湾省 台中市
项目面积_
489平方米
投资金额_
160万元

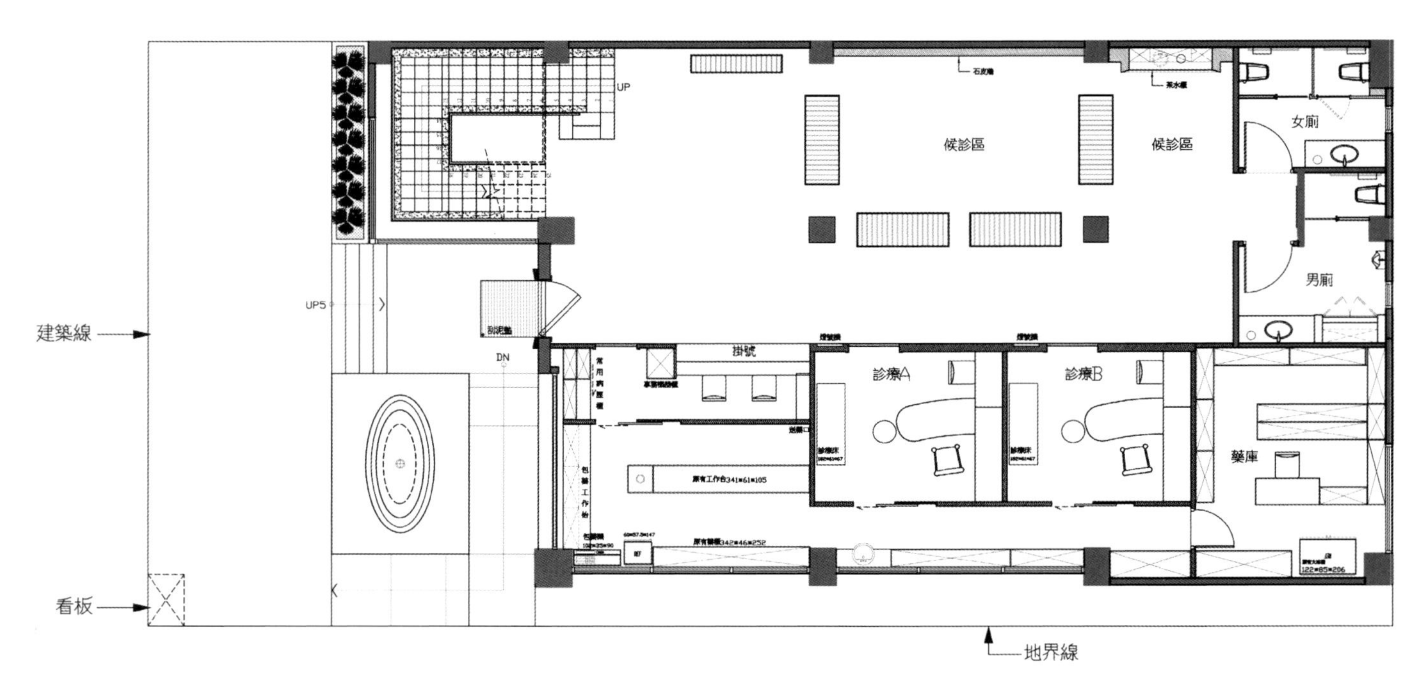

一层平面图

主案设计：
李响 Li Xiang
博客：
http:// 447964.china-designer.com
公司：
凯亚斯创意管理机构
职位：
执行总监

奖项：
金堂奖2010中国室内设计年度评选 “年度十佳样板间/售楼处”
2012 第七届金外滩奖 “创新设计奖”

项目：
成都文旅三岔湖数字展示空间
丝丽雅集团总部
中石油办公室
成金复合工业新城 招商中心
成金复合工业新城 国际会议中心
蜀馔茶坊

成都文旅三岔湖数字展示空间

Digital display space of Shancha Lake in Chengdu

A 项目定位 Design Proposition

三岔湖位于四川省“十一五”规划确定的精品旅游区之一的“两湖一山”的核心区域，此案作为该开发区域一级开发的展示窗口，以水为媒，一岛一景，凸显三岔湖不可复制的自然性。

B 环境风格 Creativity & Aesthetics

在环境风格上，此案将区域开发的理念和地域生态资源巧妙结合，融入整个展示中心的展项设计、功能分区和氛围营造中。

C 空间布局 Space Planning

设计师巧妙的将自然之景引入，“一切皆源于水，无极生万象”，以水、岛屿，形成空间形态的载体，让现代与传统有机融合，突出此案的唯一性和不可复制性。

D 设计选材 Materials & Cost Effectiveness

为诠释“一切皆源于水，无极生万象”的理念，此案在选材上选用可塑性极好的柔性张拉膜，其极富张力的特性结合玻璃钢的塑型，很好的诠释了设计师对水，对自然的感悟；质感浓烈的真石漆，配合中国传统山水水墨泼洒，矛盾而又贴合，营造出极具特性的空间质感。

E 使用效果 Fidelity to Client

此案无论是“全面”的商业定位，还是“天人合一”的设计理念，都增加了项目目标人群对本项目的认可度，以及对未来发展的信心。

Project Name_
Digital display space of Shancha Lake in Chengdu
Chief Designer_
Li Xiang
Participate Designer_
Xiong Samang, Hu Rong
Location_
Ziyang Sichuan
Project Area_
641sqm
Cost_
1,130,000RMB

项目名称_
成都文旅三岔湖数字展示空间
主案设计_
李响
参与设计师_
熊萨芒、胡蓉
项目地点_
四川省 资阳市
项目面积_
641平方米
投资金额_
113万元

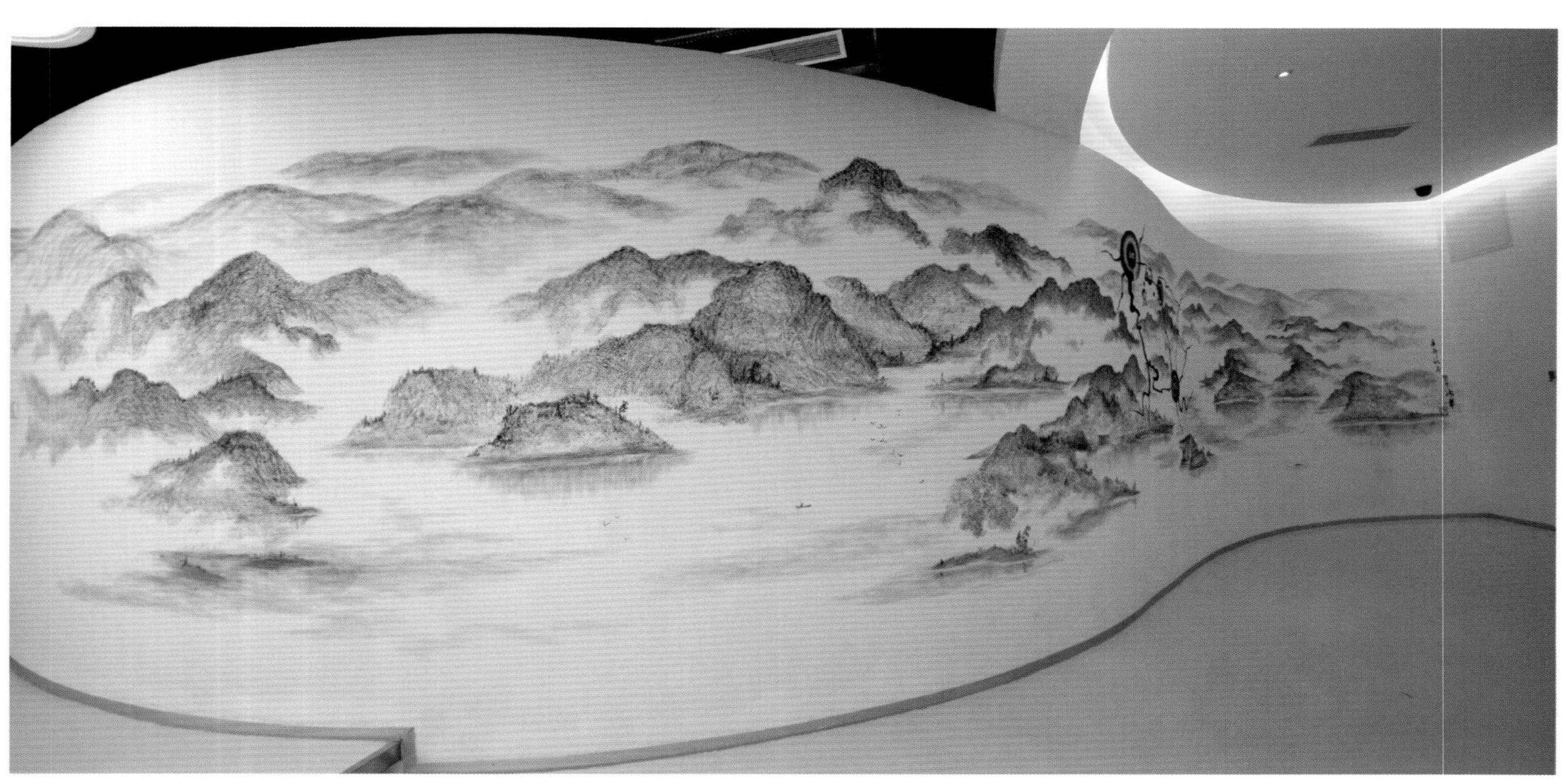

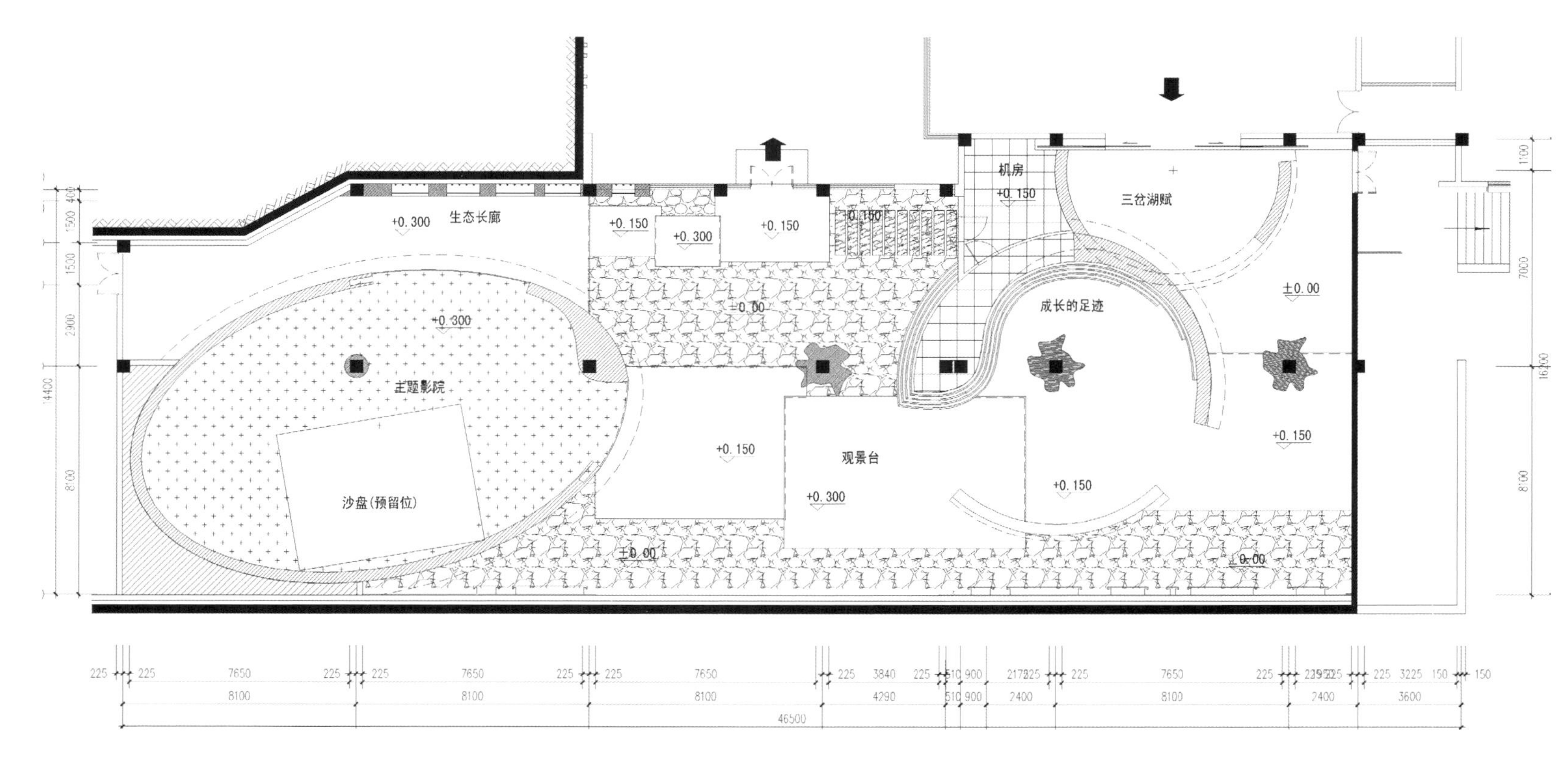

平面布置图

LSLAND 島
LAKE 湖

主案设计：
许业武 Xu Yewu
博客：
http:// 489915.china-designer.com
公司：
香港意丰德行国际室内设计有限公司
职位：
设计总监

奖项：
2004年获全国百名优秀室内建筑师称号
2005年中国室内界专家评为全国100名最有影响力设计师
2006年南京市共青团委评委南京市创意产业新长征突击手
2007年获IA室内设计大赛作品优秀奖
2008荣获中国十大样板房设计师50强
2009年中国室内空间环境艺术设计大赛二等奖
2011年度金堂奖年度优秀作品等
2003年获第四届全国室内设计大赛优秀奖

项目：
香港POSH办公家具展示中心、
江苏苏酒集团办公设计等

中科院金湖物联网研发中心展厅

Jinhu Institute of Industrial Networking Development Center

A 项目定位 Design Proposition

置身于江苏苏仪集团内的中科工业物联网展厅还肩负着对多个相关单位的仪表产品的展示。

B 环境风格 Creativity & Aesthetics

层层递进的区域多呈大气中规的方形。这样的布置手法加长了周长，增加了展示的面积，曲径通幽的趣味性也令浏览的观众多了几分惊喜。方正与直线的设计元素令整个展厅更现代简约，好似错综繁复的物联网最终呈现的却是直接简单的服务，更是对工程造价的有效控制。

C 空间布局 Space Planning

方正与直线的设计元素令整个展厅更现代简约，好似错综繁复的物联网最终呈现的却是直接简单的服务，更是对工程造价的有效控制。穿过序厅（中庭），展示大厅内光影交错、机械摆动的喧闹场面令人兴奋，定睛搜寻，总有令你大开眼界的神奇。清单上的设备被合理安置外，地上、墙上、顶上……不经意处或是阵列的玻璃柱内凝固了各式各样的仪表，放眼望去仿佛美术馆里的一尊尊雕塑。

D 设计选材 Materials & Cost Effectiveness

本案最大限度的就地取材，展示用的仪表、管道或缆线在这里同时能变成功能性的装置，它们被组合成隔断、座位。本案还将大自然引入室内，特设的植物丛中散落仪表器械，配以灯光的渲染别有一番意境。

E 使用效果 Fidelity to Client

模拟了物联网的真实运用，给人直观印象，更是提倡科技与大自然的和谐发展的有力行动。

Project Name_
Jinhu Institute of Industrial Networking Development Center
Chief Designer_
Xu Yewu
Participate Designer_
Wang Bin, Wang Shan
Location_
Jinhu Jiangsu
Project Area_
1,000sqm
Cost_
2,000,000RMB

项目名称_
中科院金湖物联网研发中心展厅
主案设计_
许业武
参与设计师_
王斌、汪珊
项目地点_
江苏省 金湖
项目面积_
1000平方米
投资金额_
200万元

引领无线技术 实现无限工厂
引领无线技术 实现无限工厂
弹簧管压力表

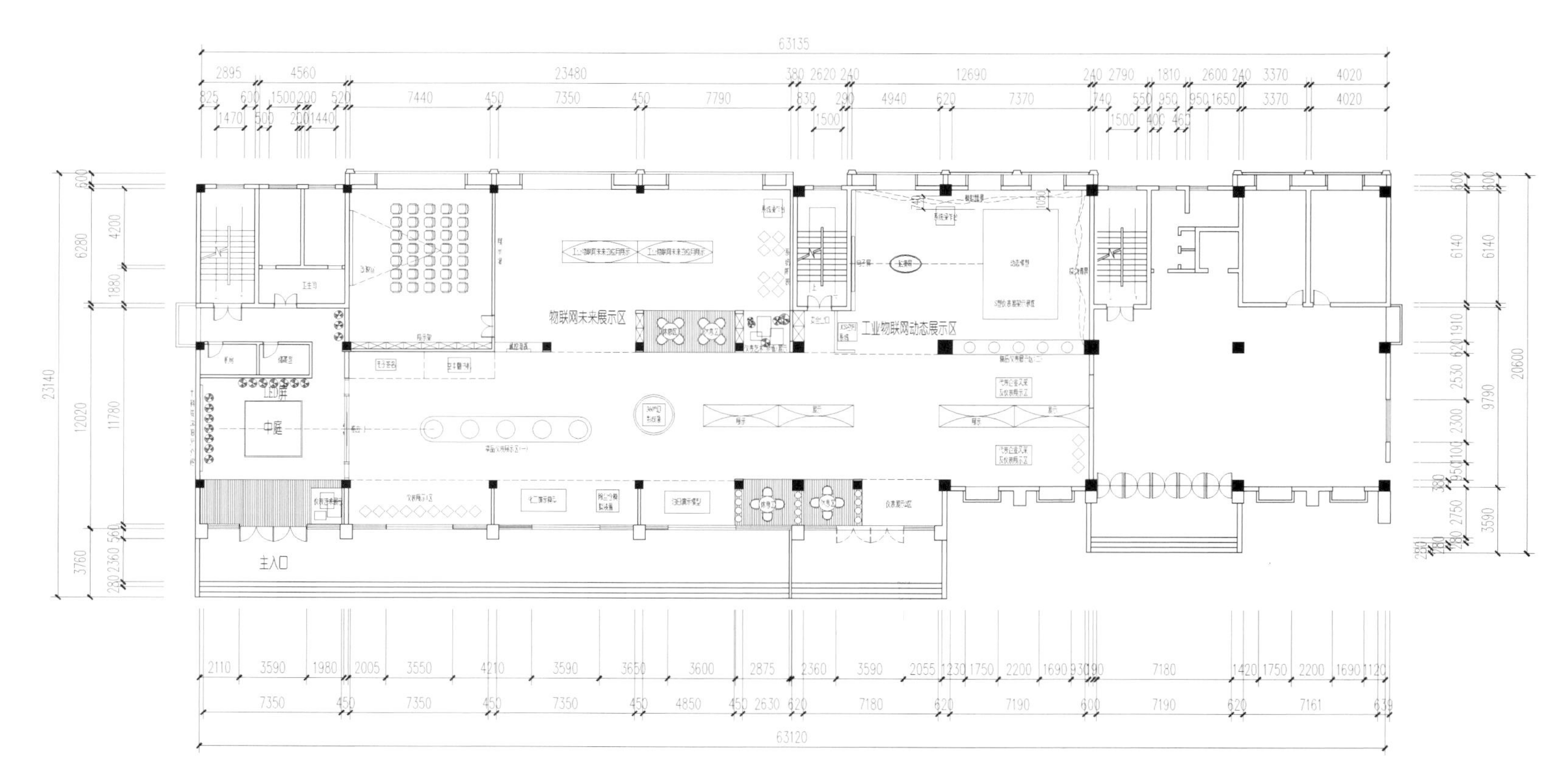
63135
物联网未来展示区
工业物联网动态展示区
中庭
主入口
63120

平面图

工业无线仪表专家
引领无线技术 实现无限工厂
2.4GHz无线模块
WIA网关
WIA无线压力变送器
WIA无线温度变送器
PDA

未来世界十大战略性科技
未来世界十大战略性科技

主案设计：
李道德 Li Daode
博客：
http:// 1015776.china-designer.com
公司：
dEEP 建筑设计事务所
职位：
主持建筑师

奖项：
设计作品“De-Ploy”曾参展于智利的“SAGRADI设计展”和奥地利的“概念设计展”以及“第十届威尼斯建筑双年展”，并由西班牙皇家建筑师协会全额资助以专辑的形式以英文与西班牙文双语出版，在欧洲及美国发行

项目：
参与北京机场第三航站楼设计（已完工）
欧洲第一高楼——莫斯科城市大厦Moscow CityTower建筑设计（在建）
圣彼德堡Apraksin Dvor老城规划再造

A Promise Shared展览空间设计
A Promise Shared Exhibition Space

A 项目定位 Design Proposition
设计的灵感来源于FOREVERMARK所秉承的承诺：beautiful, rare has been responsibly sourced.

B 环境风格 Creativity & Aesthetics
这个设计将是美丽优雅的，独一无二的，并且与周边的环境，以及人的行为发生关系，产生互动的。运用生活中常见的白丝带，通过转折、拉伸创造出一个变幻莫测的空间构筑物。

C 空间布局 Space Planning
与空间及人的互动，是这个设计的另一大特点，这也体现了FOREVERMARK一贯的对环境和民众的人文关怀。所以，最终的设计不会是一个独立的装置，而试图加强与现有空间及活动本身的联系，由感应装置所连接的机械系统，会使连接丝带的杆件发生位移或旋转，从而创造出一个充满活力的，变化不断的，附有生命的四维空间。

D 设计选材 Materials & Cost Effectiveness
每颗FOREVERMARK钻石都有独特的编码以记录开采加工过程，“数字”是FOREVERMARK另一个独特之处的体现，所以在这次空间设计的方法上，我们采用参数化设计手法，利用电脑技术，模拟人流，根据其对空间的影响，自然生成一组不同的受力参数。根据这些参数，通过计算机编程，创造出独特有序的空间形态。

E 使用效果 Fidelity to Client
创造了一个充满活力的四维空间，赢得了FOREVERMARK的认同及肯定。

Project Name_
A Promise Shared Exhibition Space
Chief Designer_
Li Daode
Participate Designer_
Zhen Yu, Chen Yu, Zhang Dali
Location_
Beijing
Project Area_
2,300sqm
Cost_
5,000,000RMB

项目名称_
A Promise Shared 展览空间设计
主案设计_
李道德
参与设计师_
郑钰、陈昱、张大礼
项目地点_
北京
项目面积_
2300平方米
投资金额_
500万元

FOREVERMARK

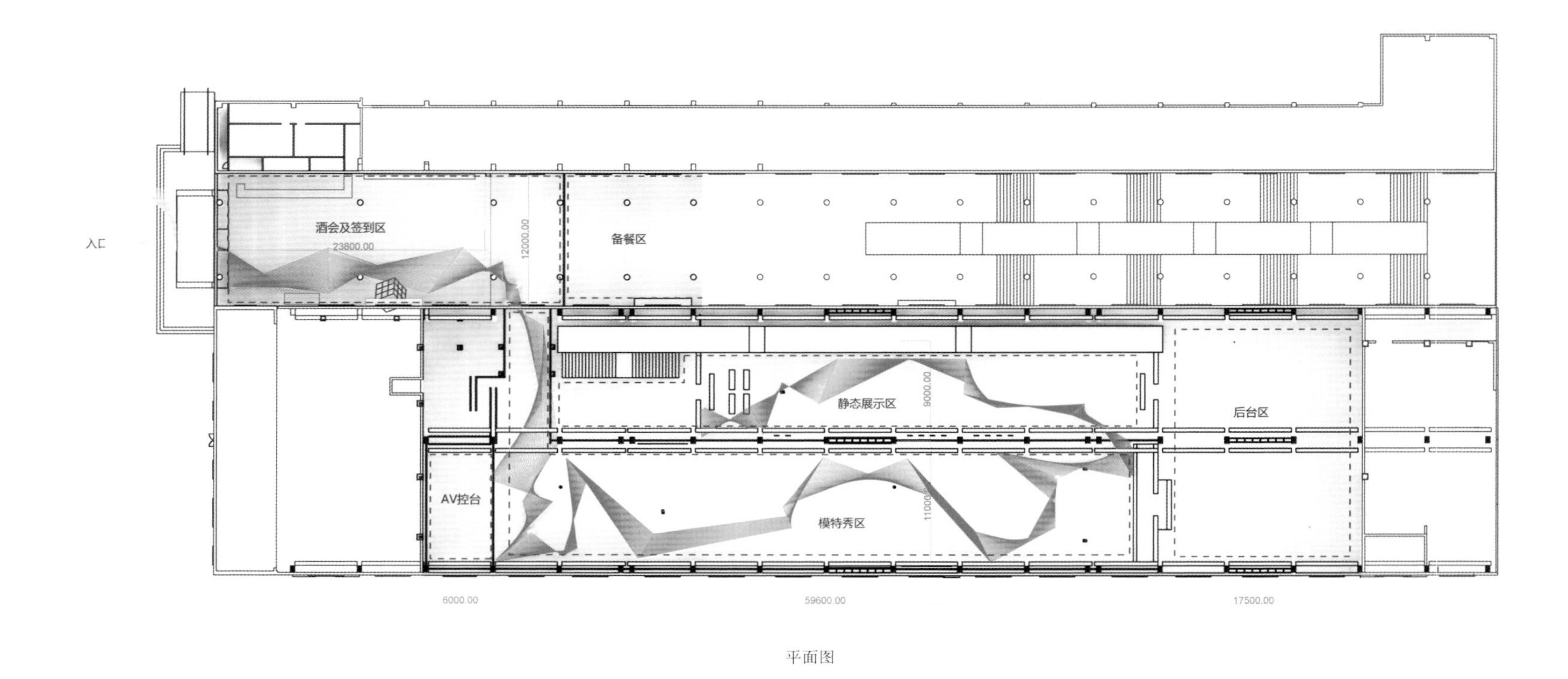
入口
酒会及签到区
23800.00
12000.00
备餐区
静态展示区
9000.00
后台区
AV控台
模特秀区
11000
6000.00
59600.00
17500.00

平面图

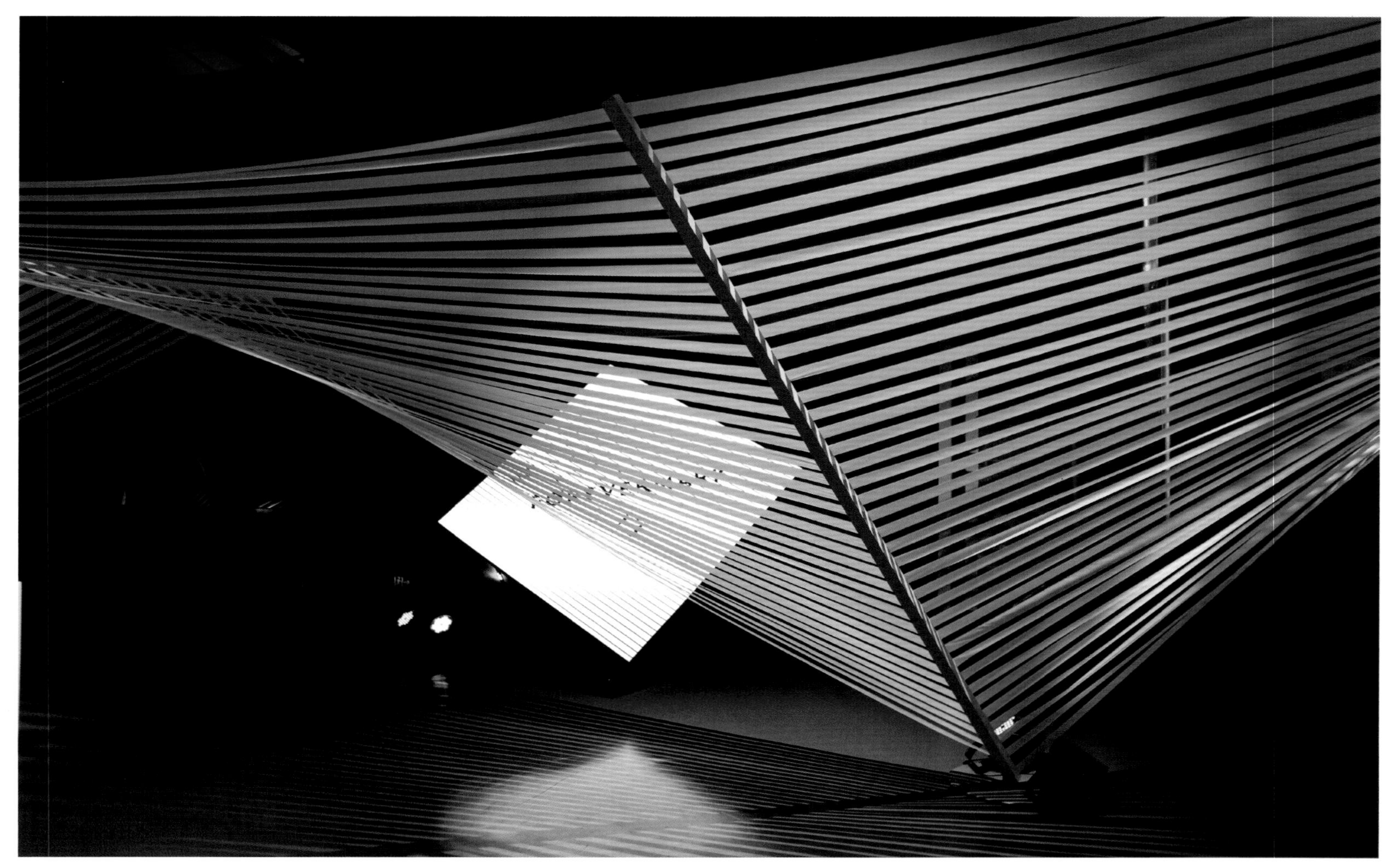

主案设计：
许鹰 Xu Ying
博客：
http:// 1015112.china-designer.com
公司：
点子室内设计有限公司
职位：
设计部经理

奖项：
福建宁德乐巢音乐会所获2010金堂－年度十佳娱乐空间设计大奖
河北不夜的传奇获2011金堂奖－年度优秀娱乐空间设计大奖
惠州壹号公馆获2011金堂奖－年度优秀娱乐空间设计大奖
百利•活态空间设计大奖－2011办公空间设计金奖

项目：
广东惠州方直黄金海岸
陕西西安银河国际会所
福建宁德音乐乐巢
惠州一号公馆
南湖国旅旗舰店
天河北Dadolac雪糕店

DREAM BOX

DREAM BOX

A 项目定位 Design Proposition

展位以“Dream”作为设计主题，为体验者构建了一个“Dream”的窥探空间，生动带出公司的成长梦想与员工们的快乐梦想。

B 环境风格 Creativity & Aesthetics

每个Box，都设计了一组给体验者窥探“Dream”的窗口，设计师以不规则，又富于变化的几何手法进行切割，结合富有层次感的不规则外观，让展位更加立体，让人充满窥探的欲望。白色，是展位唯一的色调，明亮、雅致，让人充满遐想，更唤起体验者对梦想的向往。

C 空间布局 Space Planning

从空间设计上，展位由9个Box组合而成，每个Box象征着公司每一年的成长梦想。各个Box以反转迭变的手法嵌入组合，既相对独立又互相包容，诠释着公司团队与团队之间，员工与公司之间彼此信任、相互共容的团队合作精神。

D 设计选材 Materials & Cost Effectiveness

在视觉科技上，设计师加入了3D影像技术、拼屏显像系统与互动触摸系统。互动触摸系统应用在企业互动信息平台上，以触摸屏的形式展示公司文化，体验者可自主翻阅感兴趣的内容；3D影像技术应用在案例展示区，设计师利用新颖的全息投影设备，结合空间造型特点投影作品，生动地以3D效果突显出案例的创意概念，让体验者能更立体的感受到创作的灵感来源；拼屏显像系统则应用在员工梦想展示区。

E 使用效果 Fidelity to Client

员工自编、自导、自演的梦想片子，结合手绘式的梦想画屏动画，通过特别的拼屏进行演示，让每位体验者都能感受到员工们多姿多彩的梦想与创作过程中的趣味性，从而唤起大家对梦想可贵可亲可爱的追求。

Project Name_
DREAM BOX
Chief Designer_
Xu Ying
Location_
Guangzhou Guangdong
Project Area_
72sqm
Cost_
100,000RMB

项目名称_
DREAM BOX
主案设计_
许鹰
项目地点_
广东省 广州市
项目面积_
72平方米
投资金额_
10万元

平面图

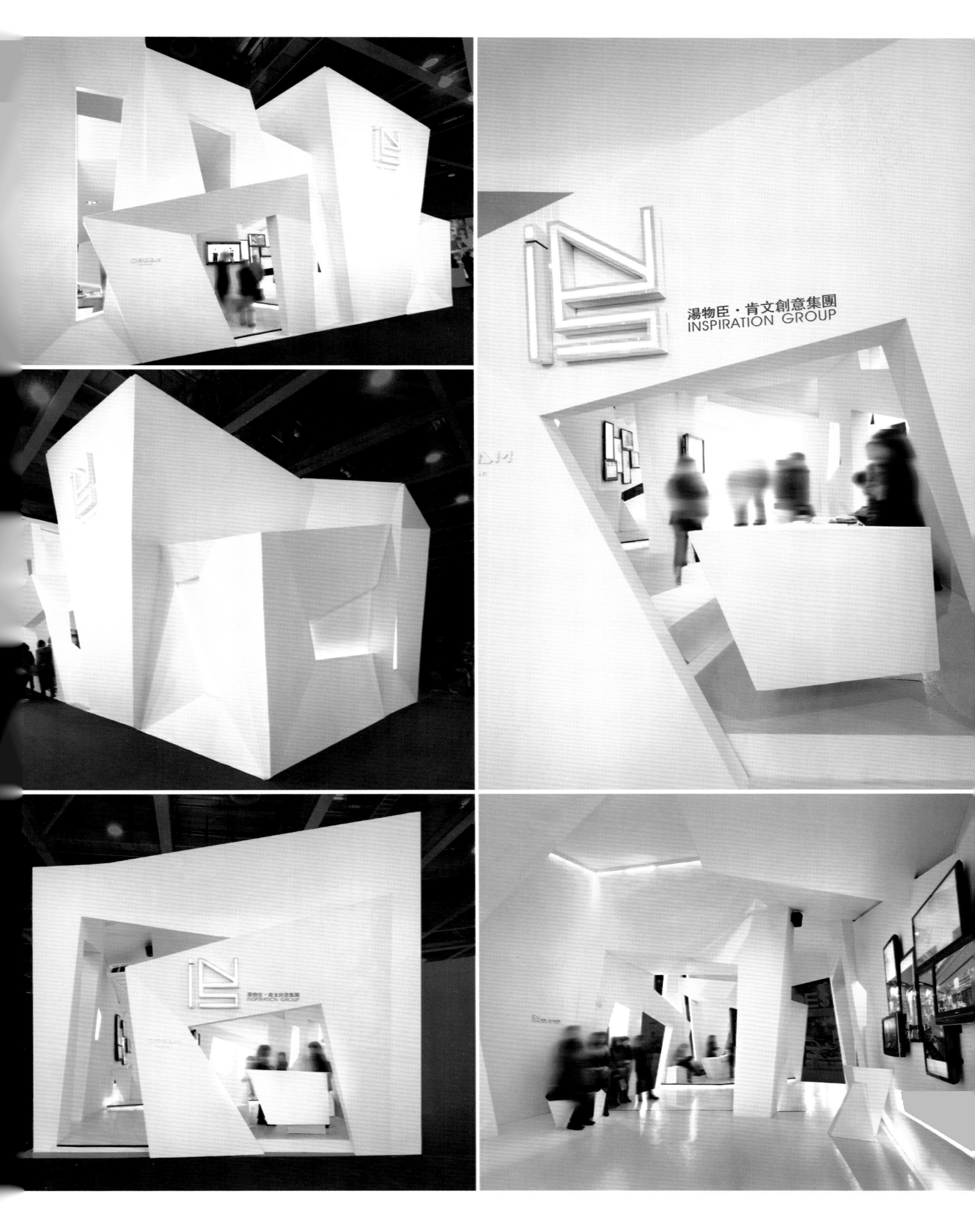
湯物臣・肯文創意集團
INSPIRATION GROUP

主案设计：
李道德 Li Daode
博客：
http:// 1015776.china-designer.com
公司：
dEEP 建筑设计事务所
职位：
主持建筑师

奖项：
设计作品“De-Ploy”曾参展于智利的“SAGRADI设计展”和奥地利的“概念设计展”以及“第十届威尼斯建筑双年展”，并由西班牙皇家建筑师协会全额资助以专辑的形式以英文与西班牙文双语出版，在欧洲及美国发行

项目：
参与北京机场第三航站楼设计（已完工）
欧洲第一高楼——莫斯科城市大厦Moscow CityTower建筑设计（在建）
圣彼德堡Apraksin Dvor老城规划再造

艺谷艺术中心
eegoo Art Center

A 项目定位 Design Proposition
艺术中心由一个破旧的工业厂房改造而成。业主希望体现厂房空间的大气与通透，并可应对各种展览与活动。

B 环境风格 Creativity & Aesthetics
我们采取欲扬先抑的手法，将地面自然抬起，形成了一个相对较低的入口空间，随着光线的吸引，人们会进入主展厅，发现豁然开朗的大空间，感受工业厂房独特的空间结构。

C 空间布局 Space Planning
地面的抬起，也形成了艺术中心中最为惊艳的部分：一个如湖水涟漪般的大阶梯。它有常规的台阶逐渐演变融合而成，形成参观者可以坐下来讨论展览、回味艺术的场所。计算机模型信息直接转入加工机构而精密制模的非线性空间构筑，与粗矿原始的工业厂房之间的对比，也是这个空间的魅力所在。

D 设计选材 Materials & Cost Effectiveness
我们的手法是完全保留原有的建筑，加建的钢结构将其连接，并形成有特色的竖向交通空间，在整个建筑的外围设计了一个由三角形所构成的一个复杂的结构体系，将建筑包裹。通过计算机技术将外围的结构表皮进行有机细分，并在每一个细分的三角板上进行切割、折叠。最终采取的本色铝板很好的达到了对阳光和周边环境的反光折射，形成了一个光与影的戏剧化的场所，并赋予了这两栋旧建筑以新的生命与活力。

E 使用效果 Fidelity to Client
新的设计不仅增强了区域的活力与艺术气氛，也使艺术和创意真正与大众亲密接触。

Project Name_
eegoo Art Center
Chief Designer_
Li Daode
Participate Designer_
Zhen Yu, Liu Moyang, Alex Middleton, Pang Yixuan
Location_
Shanghai
Project Area_
5,100sqm (Art Center), 1,300sqm (Materials Museum)
Cost_
32,000,000RMB

项目名称_
艺谷艺术中心及MC新材料博物馆设计
主案设计_
李道德
参与设计师_
郑钰、刘墨洋、Alex Middleton、庞亦萱
项目地点_
上海
项目面积_
5100平方米（艺术中心），1300平方米（材料博物馆）
投资金额_
3200万元

位置示意图

主案设计：梁建国 Liang Jianguo
博客：http:// 208117.china-designer.com
公司：北京集美组装饰工程有限公司
职位：创始人、董事长
职称：
集美组 执行总裁、创意总监
中国陈设艺术专业委员会常务副主任
中国室内装饰协会设计专业委员会副主任
中央美院城市学院主题空间客座教授
中国陈设艺术讲师团教授
奖项：
全国杰出中青年室内建筑师
全国百名优秀室内建筑师
中信南海美景酒店荣获第七届中国国际室内设计双年展金奖
德国WALTER KNOLL家俱展厅荣获2010年金堂奖年度优秀作品、2010年金堂奖购物空间设计年度十佳、第八届中国国际室内设计双年展金奖
项目：
北京北湖九号
北京时尚大厦
北京大学博雅国际会议中心
北京湾会所
北京SOHU尚都一泉德私人会所
中信北京国泰饭店
建业集团老房子商业街

北京故宫紫禁书香
The Imperial Palace Library in Beijing

A 项目定位 Design Proposition
故宫是中国今天保留下来规模最大、最完整、水平最高的一座古代建筑群。

B 环境风格 Creativity & Aesthetics
600多年的历史沧桑，24代天子的命运更迭都交融在这个神秘的禁区里；它金碧辉煌，时刻彰显着曾经至高无上的财富和权力；作为皇帝的居处，它若不搜尽世间的珍宝，就无法突显其天命所归。美国建筑师墨菲（Murphy）看完故宫感叹道：“……其效果是一种压倒性的壮丽和令人呼吸为之屏息的美。”

C 空间布局 Space Planning
随着帝王统治的结束，故宫成了中国最大的综合性博物馆。其下的故宫出版社主要出版与之相匹配的文化类书籍。出版社需要利用一个在紫禁城里过去的伺服空间向世人展示其书籍，并有身临其境的体验去品读。借此让更多人能更深入地了解它，传播它，保护它。于是，紫禁书香的设计选择了一种对故宫最恭谦的情怀出现。

D 设计选材 Materials & Cost Effectiveness
为展示浓缩了历史的书籍，也为极尽可能地保护古建。手法当代又与原建筑有机地结合成一体。

E 使用效果 Fidelity to Client
在伟大的历史和建筑还有经典的文化书籍面前，特有的阅读环境让所有来到这里的人都会放下骄躁，谦卑平和——而这难道不是我们应该的心态去阅读吗？

Project Name_
The Imperial Palace Library in Beijing
Chief Designer_
Liang Jianguo
Participate Designer_
Cai Wenqi, Wu Yiqun, Song Junye, Luo Zhenhua, Nie Chunkai, Wang Yong
Location_
Beijing
Project Area_
150sqm
Cost_
2,000,000RMB

项目名称_
北京故宫紫禁书香
主案设计_
梁建国
参与设计师_
蔡文齐、吴逸群、宋军晔、罗振华、聂春凯、王永
项目地点_
北京
项目面积_
150平方米
投资金额_
200万元

米芾書法全集
竹山連句

主案设计：
张健 Zhang Jian
博客：
http:// 11127.china-designer.com
公司：
大连工业大学、张健设计事务所
职位：
教师、设计总监

奖项：
2011年/金堂奖•2011 CHINA-DESIGNER 中国室内设计年度评选最具商业价值作品 年度优秀餐饮空间设计
2010年/全国高校室内设计大赛优秀佳指导教师奖
2010年/金堂奖•2010 CHINA-DESIGNER 中国室内设计年度评选最具生活价值作品 年度十佳住宅公寓设计
2010年/金堂奖•2010 CHINA-DESIGNER 中国室内设计年度评选最具商业价值作品 年度优秀餐饮空间设计

项目：
大连时尚LUCK料理店
永恒时尚大连时代广场精装公寓
LUCK居酒屋
NOEL诺爱酒吧
ELEGANC酒吧
伊人酒吧

大连金石滩生命奥秘博物馆
Mysterious Life Museum in Jinshitan, Dalian

A 项目定位 Design Proposition
本案围绕生命的奥秘为主题，以诠释生命的起源为设计理念，与大连海洋文化相结合，力求营造出独特的空间气质与韵味。生命的灿烂正在于犹如浮云流水般平静的瞬间，刹那而逝的完美表演，生命的意义由此呈现。

B 环境风格 Creativity & Aesthetics
设计师屏弃物质的繁琐，强调精神的体会与传播，空间上以DNA双螺旋概念演绎着生命的奥秘，揭示生命的密码。充满韵律的曲线呈现出幽静之美，演绎着生命的乐章。

C 空间布局 Space Planning
本案在布局设置及动线设计上将参观流程尽最大可能的完善，直观且合理的布局是本案空间的亮点。

D 设计选材 Materials & Cost Effectiveness
本案选用彰显天然气质的石材与生态木结合，并使用生态木进行大尺度变化造型，凸显空间韵律。

E 使用效果 Fidelity to Client
本案接待大厅整体气魄十足，分展厅气氛热烈，得到广大参观者和物业投资方的一致好评。

Project Name_
Mysterious Life Museum in Jinshitan, Dalian
Chief Designer_
Zhang Jian
Participate Designer_
Li Yu, Liu Hailong, Song Zhigang, Xu Jiayi, Duan Qingdan, Wang Chaoying, Ma Haobo, Li Xian
Location_
Dalian Liaoning
Project Area_
6,000sqm
Cost_
10,000,000RMB
项目名称_
大连金石滩生命奥秘博物馆
主案设计_
张健
参与设计师_
李禹、刘海龙、宋志刚、徐嘉忆、段庆丹、王朝英、马昊伯、李宪
项目地点_
辽宁省 大连市
项目面积_
6000平方米
投资金额_
1000万元

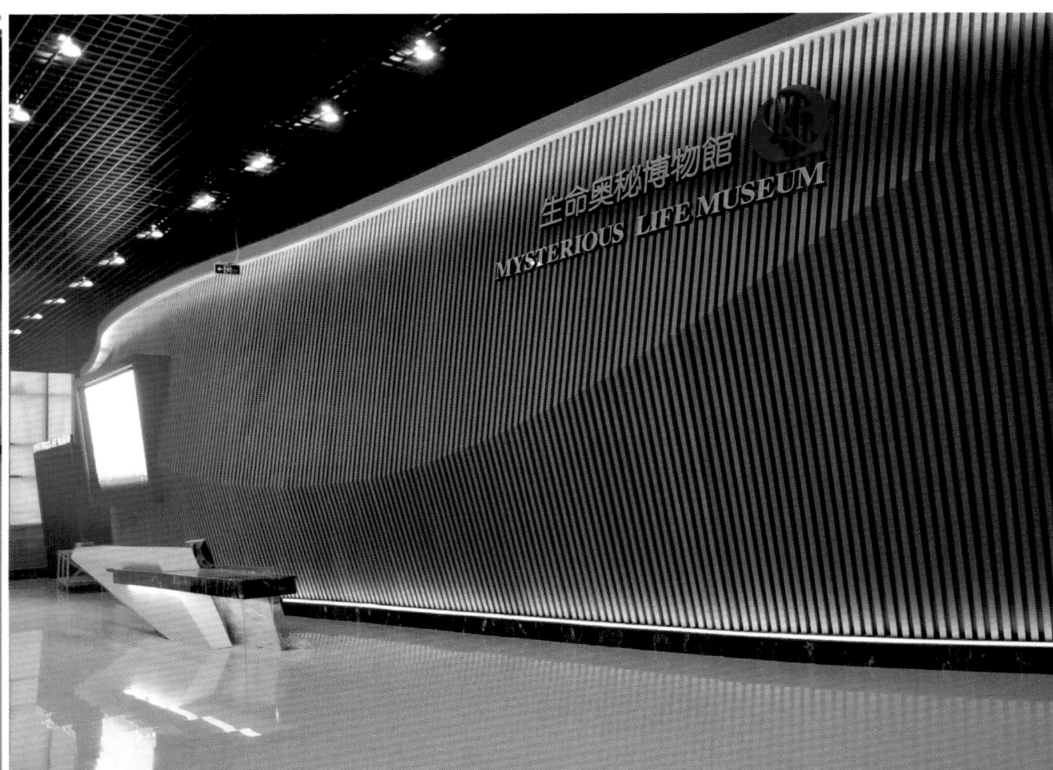

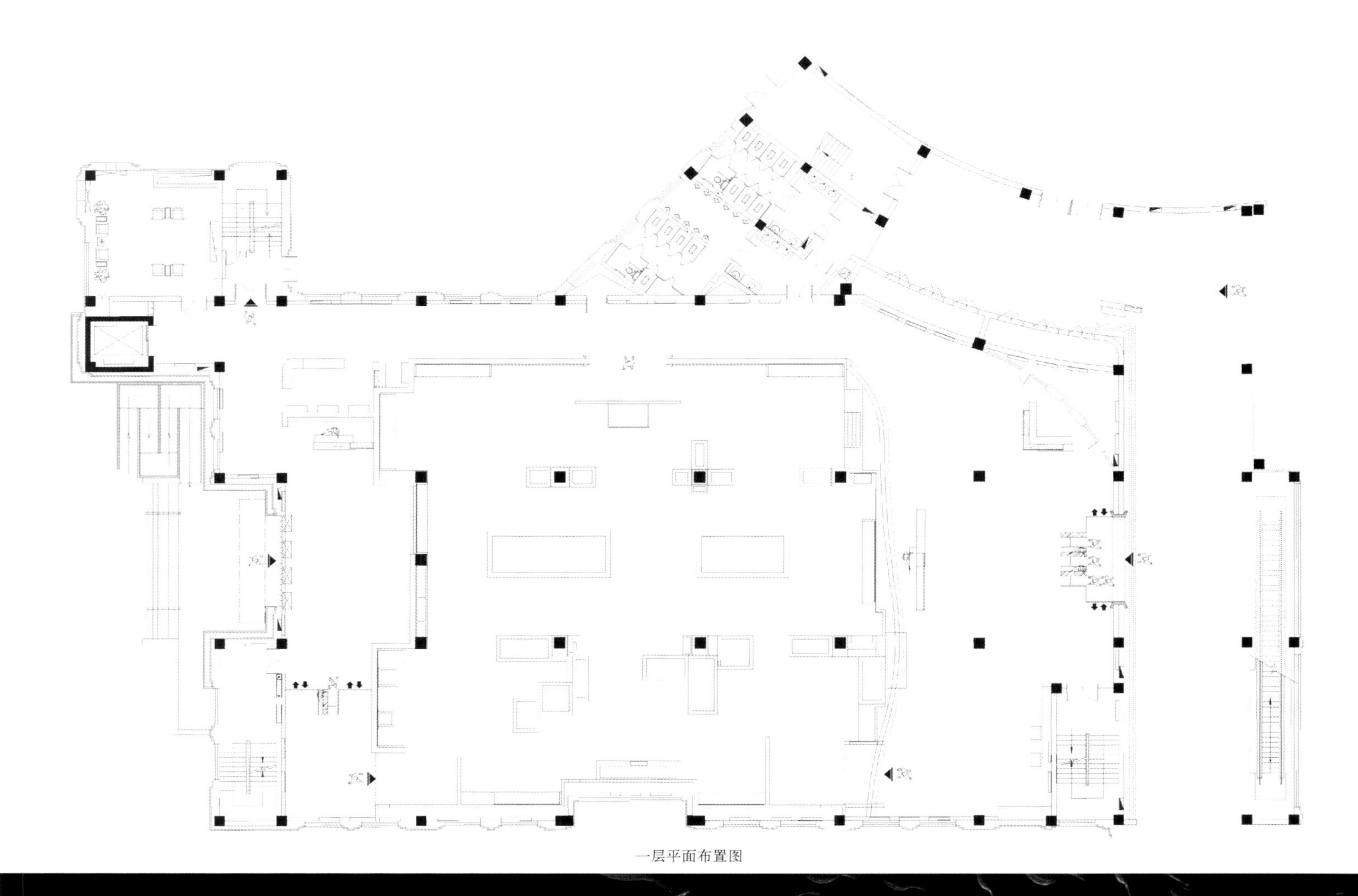

一层平面布置图

主案设计：
谷鹏 Gu Peng
博客：
http:// 157490.china-designer.com
公司：
谷鹏艺术设计机构
职位：
经理

奖项：
第五届全国建筑画评选中获一等奖
2010年设计作品“岱青海蓝” 国庆60周年山东彩车获山东省政府泰山文艺奖特别荣誉奖

项目：
2008参与设计上海世博会山东馆展区设计
2009设计国庆60周年 “岱青海蓝”山东彩车
山东齐鲁大厦（上海）室内设计

文博会展区
Culture Expo Section

A 项目定位 Design Proposition
纸是一种源于自然又能回归自然的绿色环保材料，作品意在引导人们体验废弃纸料回收再利用的成果，感受万物循环的奥妙，思考生活中人们心灵的环保。

B 环境风格 Creativity & Aesthetics
作品运用多媒体技术，使入境之人在流连自然风光的同时，自身影像破坏了画面的完整性，从而启发人们思考人与自然和谐相处之道。

C 空间布局 Space Planning
外部空间——由800个黑色废弃纸箱围合形成封闭空间。内部空间—— 4台投影机，将绚丽的自然景观影像投射在由5万张复印纸悬挂而成的立体屏幕上，活动的光影与白石子、青石板的实物地面相宜辉映，构造出追寻自然与禅意的人与境的交互空间。

D 设计选材 Materials & Cost Effectiveness
充分利用了废纸，将800只废弃纸箱，5万张复印纸投入到设计中，废纸称为“第四种森林”，废纸再利用可以节约纤维原料、降低成本，兼有良好的经济效益、社会效益和环境效益。在墨染纸箱、白色复印纸、白石子、青石板等材料构筑的空间内，投放出动态的自然影像，表现中国传统山水画中的“禅意”，凝练出远离尘世，超凡脱俗的诗画境界。

E 使用效果 Fidelity to Client
倡导绿色循环、空间交互、纸墨禅意，空间效果极佳。

Project Name_
Culture Expo Section
Chief Designer_
Gu Peng
Location_
Jinan Shangdong
Project Area_
100sqm
Cost_
300,000RMB

项目名称_
文博会展区
主案设计_
谷鹏
项目地点_
山东省 济南市
项目面积_
100平方米
投资金额_
30万元

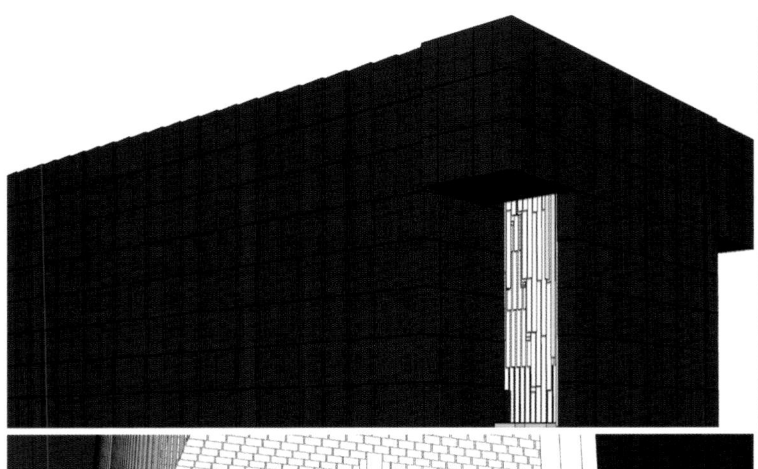

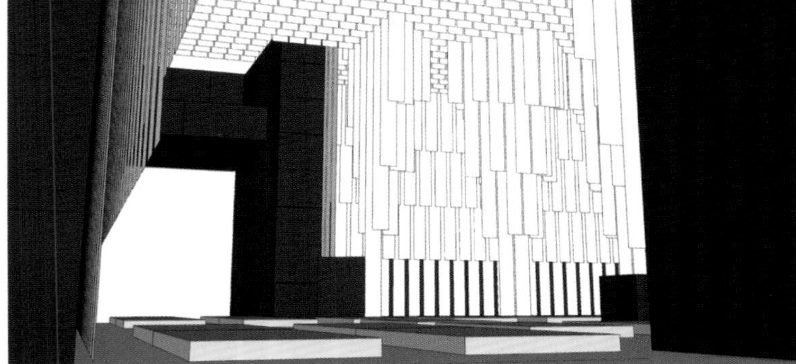

主案设计：
刘昊威 Liu Haowei
博客：
http:// 1008732.china-designer.com
公司：
CAA希岸联合建筑设计事务所
职位：
创始人、首席建筑师

奖项：
2011年，IAI AWARDS亚太室内设计双年精英大赛"中国最佳新锐设计师"
2011年，IAI AWARDS亚太室内设计双年精英大赛"双年精英大赛优秀奖"
2009年，金外滩奖"最佳商业空间奖"
2009年，金外滩奖"最佳色彩运用奖"
2008年，亚太室内设计双年大奖赛优秀奖

项目：
京沪高铁车厢整体室内空间设计
东田造型全系列品牌空间
汉能控股集团室内空间
嫣然天使儿童医院
中环广场艺术中心外立面及室内空间设计
姚晨、许晴、陈坤、李东田、林丹等众多明星名流私宅

京沪高铁车厢整体室内空间设计
Car Design of Beijing-Shanghai High-speed Railway

A 项目定位 Design Proposition
这是与其它所有项目都完全不同的空间设计，为世界上最多人群的大规模流动迁徙而作；是为不同类型的人尤其是特殊人群而作；是设计一个世界上最快速运行列车的车厢室内空间；是交通工具设计与室内空间设计的高度结合。

B 环境风格 Creativity & Aesthetics
不同于欧洲之星和日本新干线车厢空间，我们将鲜明的中华文化基因与西方的先进技术相结合，并更多的考虑到中国人身体需求的使用特性。

C 空间布局 Space Planning
为不同人和不同可能性乘坐方式需求而设计。车厢类型分为：头车全景包厢、贵宾包厢、VIP包厢、一等车厢、二等车厢、餐车；空间功能细分为：乘坐空间、观景空间、会谈空间、工作空间、公共活动空间、行李空间、储物空间、餐饮空间、娱乐空间、服务空间等等。

D 设计选材 Materials & Cost Effectiveness
首次摆脱了以往的高速列车整车技术及材料进口，除VIP睡卧座椅外，其他材料及技术全部采用中国最高水平的专利产品。设计需要100%达到适应高速震动，阻燃，抗摩擦，防撞击，并有保护人体的缓冲记忆功能等等特性的材料。

E 使用效果 Fidelity to Client
京沪高铁2012年投入运营后，乘客对车厢空间设计感到非常舒适、人性化和安全感，带来超预期的客运流量，对航空业也带来巨大的冲击。

Project Name_
Car Design of Beijing-Shanghai High-speed Railway
Chief Designer_
Liu Haowei
Participate Designer_
Zheng Yunhan, Cui Heran, Lv Bo, Shanying
Location_
Shanghai
Project Area_
600sqm
Cost_
50,000,000RMB

项目名称_
京沪高铁车厢整体室内空间设计
主案设计_
刘昊威
参与设计师_
郑云瀚、崔鹤苒、吕博、山颖
项目地点_
上海
项目面积_
600平方米
投资金额_
仅研发费用5000万元以上

主案设计：
刘昊威 Liu Haowei
博客：
http:// 1008732.china-designer.com
公司：
CAA希岸联合建筑设计事务所
职位：
创始人、首席建筑师

奖项：
2011年，IAI AWARDS亚太室内设计双年精英大赛"中国最佳新锐设计师"
2011年，IAI AWARDS亚太室内设计双年精英大赛"双年精英大赛优秀奖"
2009年，金外滩奖"最佳商业空间奖"
2009年，金外滩奖"最佳色彩运用奖"
2008年，亚太室内设计双年大奖赛优秀奖

项目：
京沪高铁车厢整体室内空间设计
东田造型全系列品牌空间
汉能控股集团室内空间
嫣然天使儿童医院
中环广场艺术中心外立面及室内空间设计
姚晨、许晴、陈坤、李东田、林丹等众多明星名流私宅

嫣然天使儿童医院空间
Smile Angel Children's Hospital

A 项目定位 Design Proposition
这是我们做的一个慈善公益项目，是为中国第一所民营非营利性儿童医院设计的高端医疗定制空间；设计的基础在于对儿童及家庭环境需求的特殊理解和正确评价；打破以往医院留给人们担忧与恐惧的意识，营造一个如同儿童游乐园般的就医空间。

B 环境风格 Creativity & Aesthetics
项目设计突出：1.丰富的色彩、2.多层次的游乐空间，这两点被充分的应用，在过往的医院几乎是未有过的。空间内的定制家具，在以趣味性和游戏感为主题设计的同时，细节上也全部应用圆角和软性材质而避免对儿童造成伤害。

C 空间布局 Space Planning
以"梦幻家园"为主题的空间设计概念，贯穿了多种丰富类型的空间形态，大到整体上基于对儿童游戏、幻想、趣味等行为习惯的考虑而设计的空间布局，小到在病房设计中，营造了一个胜似儿童卧室的温馨的空间感受。

D 设计选材 Materials & Cost Effectiveness
不同过往的医院冰冷、坚硬的材质运用，而使用软包、皮革、织物、实木等在家居设计里才会使用的自然的材质，造成回归家庭的亲和力。

E 使用效果 Fidelity to Client
此次设计为嫣然天使基金实现了完美的落地，使医院不仅仅提供国际一流的儿童医疗服务，同时也致力于对中国贫困儿童尤以唇腭裂儿童为代表的弱势群体进行免费慈善救助，受到社会拥戴。

Project Name_
Smile Angel Children's Hospital
Chief Designer_
Liu Haowei
Participate Designer_
Song Chen, Cui Heran, Lin Yun, Zhang Fanwei, Zhang Pan, Deng Yue, Chen Fei
Location_
Beijing
Project Area_
5,000sqm
Cost_
40,000,000RMB

项目名称_
嫣然天使儿童医院空间
主案设计_
刘昊威
参与设计师_
宋晨、崔鹤苒、林云、张凡伟、张盼、邓越、陈菲
项目地点_
北京
项目面积_
5000平方米
投资金额_
4000万元

北京嫣然天使儿童医院院训：仁爱、济世、关怀、奉献
北京嫣然天使儿童医院
爱心园丁
SmileAngel Children's Hospital
GARDENERS
爱心园丁（排名不分先后）
café

士站
station

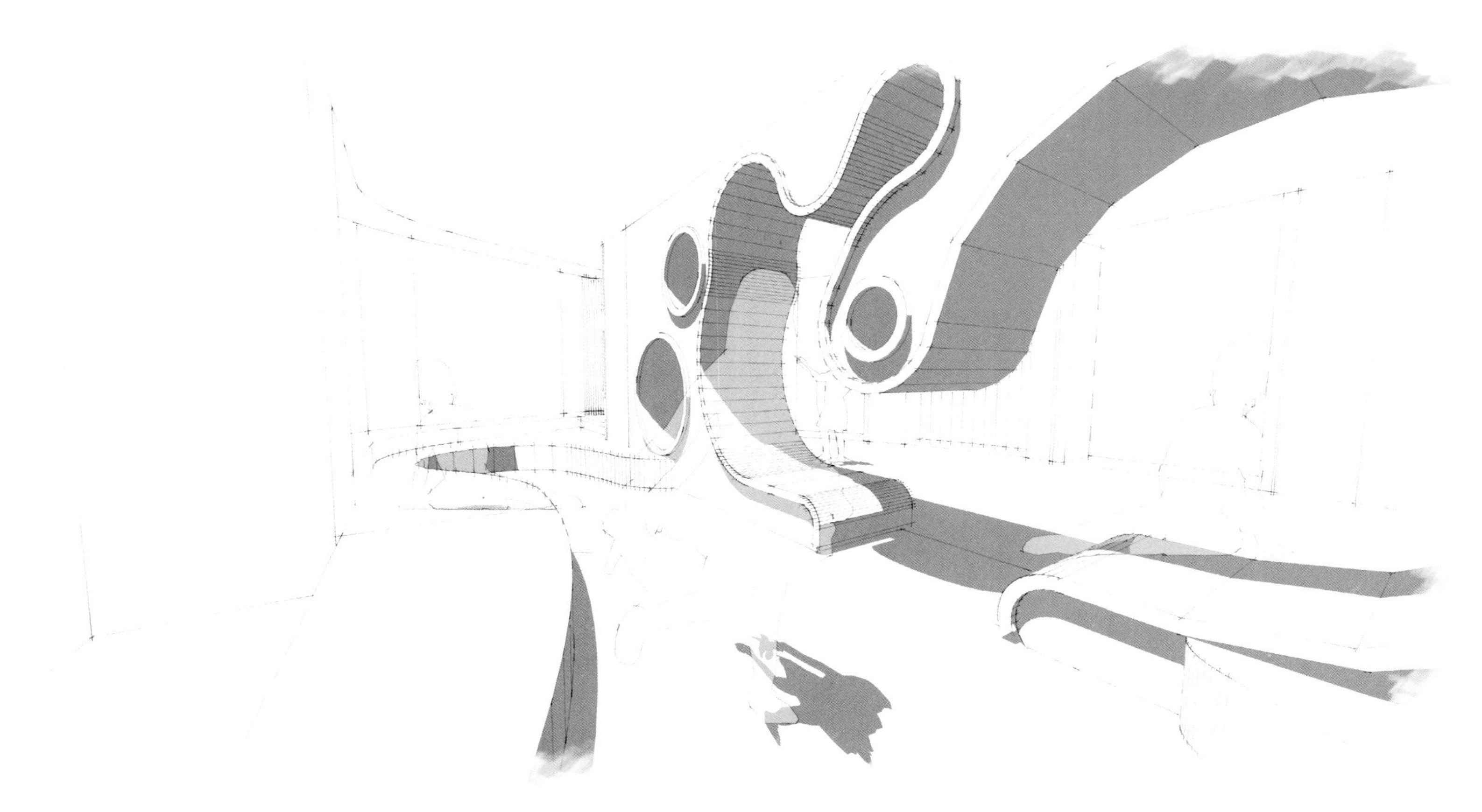

平面图

主案设计：
陈颖 Chen Ying
博客：
http:// 157932.china-designer.com
公司：
深圳秀城设计顾问有限公司
职位：
设计总监

奖项：

2010年获“09年度中国设计业光华龙腾十大杰出青年提名奖”

2010年获“金堂奖2010年年度十佳办公空间设计作品”第一名

2010年获“国际空间设计大赛---艾特奖最佳办公空间设计提名奖”

2010年秀城设计公司获2010年第五届中国（深圳）国际室内设计文化节“大中华区最具影响力设计机构奖”

2011年获“金堂奖2011年年度办公空间优秀设计作品奖”

爱子乐阅读馆
Ai Zi Le Reading Library

A 项目定位 Design Proposition

爱子乐阅读馆是位于深圳市郊横岗的一个公益性的读书交流场所，免费对外开放，藏有世界各国儿童绘本两万多册，孩子们可以随时随地拿喜欢的书，拥有自己最喜欢看书的小地盘。空间理性而明快，注重工业化产品的运用，尤其是精细的金属玻璃构建。

B 环境风格 Creativity & Aesthetics

与类似的儿童培优培训机构相比较，本项目更强调公益回报社会性质，空间格调明朗轻快且又精致时尚。

C 空间布局 Space Planning

蜂巢概念下的平面组织和活动书架提供了灵活多功能的变化，通透的间隔让自然光线到达每一个角落。

D 设计选材 Materials & Cost Effectiveness

环保材料，循环再生。

E 使用效果 Fidelity to Client

空间运营后，服务社区，回报社会，吸引了众多的小孩来阅读，树立了全新的企业形象，和企业关注少儿教育公益的特质互相呼应。

Project Name_
Ai Zi Le Reading Library
Chief Designer_
Chen Ying
Participate Designer_
Chen Guanghui, Chen Lamei
Location_
Shenzheng Guangdong
Project Area_
1,200sqm
Cost_
2,000,000RMB

项目名称_
爱子乐阅读馆
主案设计_
陈颖
参与设计师_
陈广晖、陈腊梅
项目地点_
广东省 深圳市
项目面积_
1200平方米
投资金额_
200万元

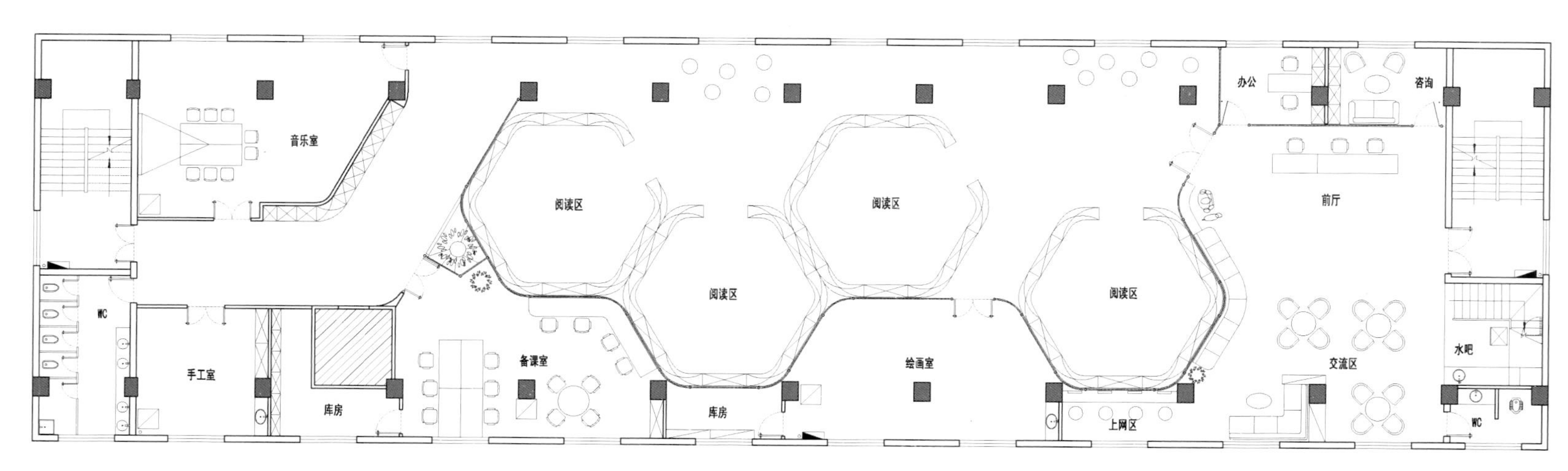

二层平面图

馆读阅乐子爱
爱子乐

B01

主案设计：
习晋 Xi Jin
博客：
http:// 205604.china-designer.com
公司：
长安大学装饰设计研究所
职位：
所长

奖项：

论著曾获全国建筑院校情报网优秀论著一等奖
作品曾获建筑书画展一等奖
2006年被录入中国建筑学会室内设计分会和中国中外名人文化研究会共同编著的《一代名家》大型文献史册

项目：

西安唐乐宫歌舞剧院
陕西历史博物馆唐墓壁画馆
陕西电视塔
榆林定边石油王子酒店
长安大学畅想园广场
砺志园
掇英园广场
陕西师范大学艺术剧院音乐厅
河海大学体育馆
交通银行西安分行金融超市营业网点
定边石油办公大楼
著名画家王西京、陈国勇，著名收藏家杨珏等文化名人的居室设计

陕西历史博物馆唐代壁画珍品馆

Tang Dynasty Mural Painting Hall in Shanxi History Museum

A 项目定位 Design Proposition

与意大利设计师合作的典范，文博行业里最先进的高端设计成果。指导思想是通过馆藏壁画精品陈列，充分展示我国唐代辉煌的历史、社会生活和文化艺术的成就，遵循科学保护文物、突出壁画特点，将艺术设计、历史文化、高科技与现代化博物馆技术融为一体的原则，使壁画馆成为我国独一无二的壁画专题艺术展馆。

B 环境风格 Creativity & Aesthetics

包括十万级净化空调，气体灭火，恒温恒湿技术，抗紫外线技术，智能化控制系统等。将唐代的壁画分为十三个主题陈列设计，并设计了先进的数字化专业影院及模拟立体展厅。

C 空间布局 Space Planning

空间简约、大气的专业级别设计。分为服务区、壁画与陈列展示区、壁画修复研究中心等四个区。

D 设计选材 Materials & Cost Effectiveness

全部吊顶采用A级防火材料，可变控制灯光，恒温恒湿净化空调效果。

E 使用效果 Fidelity to Client

中国目前最高端的室内设计，对唐代壁画保护和展示起到了示范作用。

Project Name_
Tang Dynasty Mural Painting Hall in Shanxi History Museum
Chief Designer_
Xi Jin
Location_
Xi'an Shanxi
Project Area_
4,830sqm
Cost_
83,000,000RMB

项目名称_
陕西历史博物馆唐代壁画珍品馆
主案设计_
习晋
项目地点_
陕西省 西安市
项目面积_
4830平方米
投资金额_
8300万元

房陵大长公主墓壁画
Wall Paintings from Princess Fang Ling's Tomb

苏思勖墓壁画

主案设计：
周家永 Zhou Jiayong
博客：
http:// 218273.china-designer.com
公司：
上海山村富弘室内设计工程有限公司
职位：
设计总监

奖项：
2008年荣获国际传媒奖空间设计大奖
2009年荣获“中国十大设计师“金羊奖
2010年荣获“中国国际设计艺术博览会“杰出设计师

项目：
上海维斯凯亚SPA会馆
上海岳阳餐厅
天津公馆
天津桂发祥十八街文化馆

天津桂发祥十八街麻花文化馆
Tianjin Gentiana Cultural Center

A 项目定位 Design Proposition

本案以麻花为主题分五大类文化主题馆，麻花是由中华美食延伸出来，所以我们用说故事的形式把这五大主题串联成参观动线。这五大主题有：美食文化、麻花文化、企业文化、城市文化、创意文化。

B 环境风格 Creativity & Aesthetics

把原建筑结构梁用木结构做出拱和科的造型，让大厅的天花有挑高和交错层次感，也是让每位参观者了解麻花文化外也能从中看到中国传统木造工艺。超大麻花的展示台是用木结构的昂和拱及科呈现不一样的设计！

C 空间布局 Space Planning

在整体空间的布局上我们以说故事性列出“源起、传承、跨越、印象、辉煌”五个部分，一楼以美食文化起头再说到麻花文化。一楼和夹层的走道我们定位为“传承、跨越” 厂房一层走道和夹层参观走道。二楼的布局考虑更多的是清洁维护的空间，在有限面积要留出通道方便清洁工能进入清洁玻和维修，所以有些墙面是凹凸或圆弧，利用这样的空间设计出 3D立体街景或者是透光展示柜及屏风等。此处我们定位为“印象、辉煌”。

D 设计选材 Materials & Cost Effectiveness

文化馆的设计一开始就有人物的出现，甲方也想用立体铜雕或实木雕刻，但我们的设计想让文化馆有环保概念，所以在设计上我们建议用废料来做立体人物，甲方原本担心效果会出不来，最终完成后经灯光照射产生阴影效果出乎意外！ 同样手法在二楼产品展厅的墙面也用废料做立体墙饰，这墙饰不是视觉感而且也是产品包装盒的展示架，礼盒可以随意摆放乍看以为是漂浮在半空中。

E 使用效果 Fidelity to Client

整个文化馆运营后，效果非常好。

Project Name_
Tianjin Gentiana Cultural Center
Chief Designer_
Zhou Jiayong
Participate Designer_
Shan Zhongfeng, Yu Caiyun
Location_
Hexi Tianjin
Project Area_
1,365sqm
Cost_
7,800,000RMB

项目名称_
天津桂发祥十八街麻花文化馆
主案设计_
周家永
参与设计师_
单忠锋、于彩云
项目地点_
天津 河西区
项目面积_
1365平方米
投资金额_
780万元

津门首绝
十八街麻花

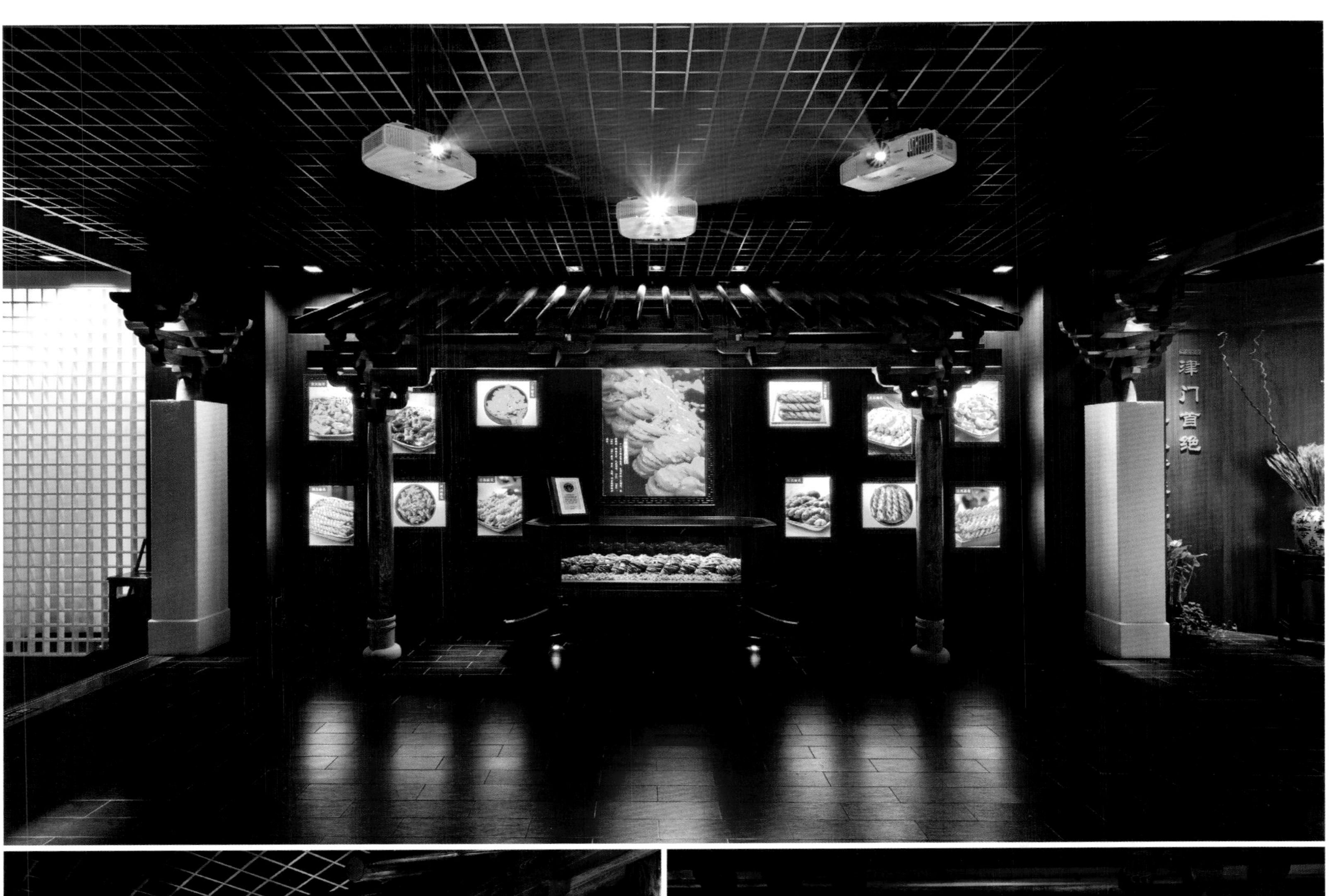
津门首绝

北京麻花
江苏麻花
宁夏麻花
青海麻花
江苏麻花

国古代著名的思想家、教
家、儒家学派创始人。
张「食不厌精，脍不厌细」
的饮食思想。
华食文化的内涵得以深刻诠释。
孔子提倡「食不厌精，脍不厌细」，这反映
了我国古代对于饮食的精品意识，如今，这
种精品意识越来越广泛地渗透到整个饮食活
精

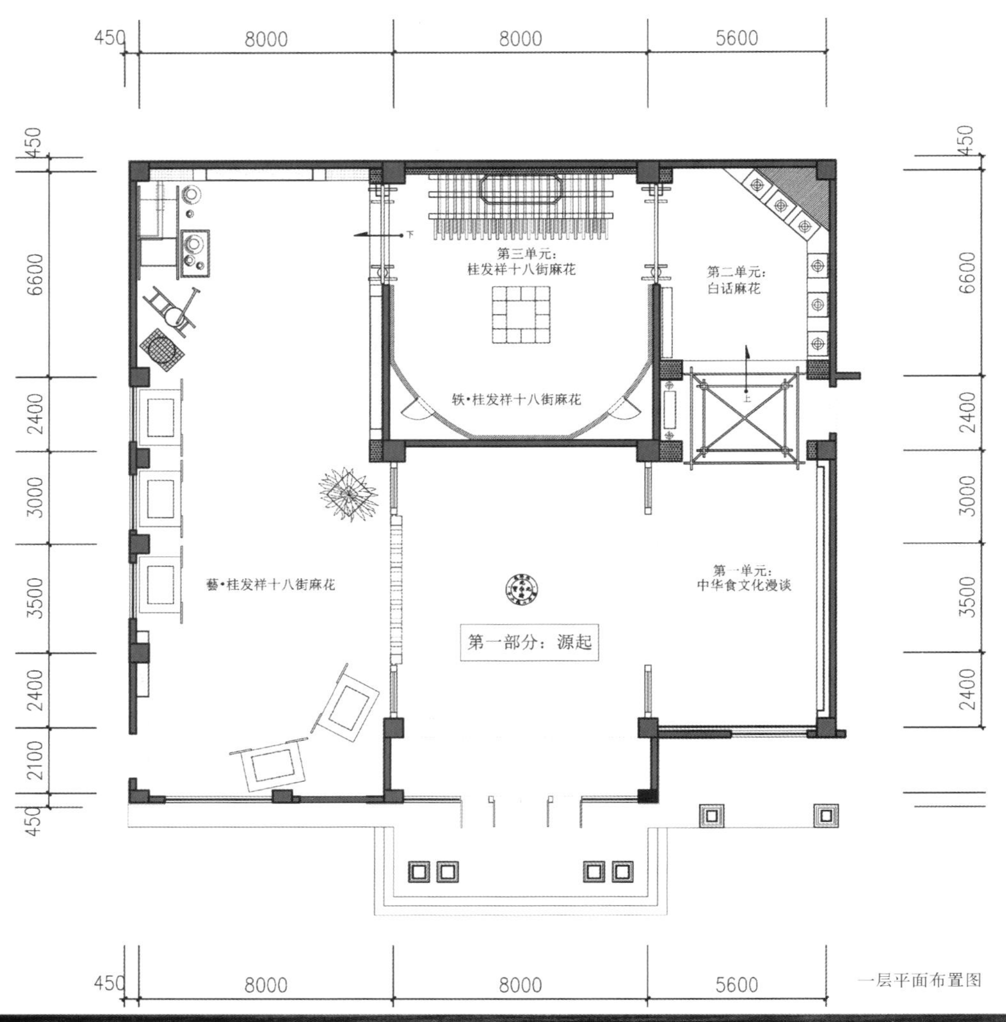
450
8000
8000
5600
6600
2400
3000
3500
2400
2100
450
第三单元：
桂发祥十八街麻花
第二单元：
白话麻花
铁•桂发祥十八街麻花
藝•桂发祥十八街麻花
第一单元：
中华食文化漫谈
第一部分：源起

一层平面布置图

十八街麻花文化館

十八街麻花

主案设计：
李伟强 Li Weiqiang
博客：
http:// 461741.china-designer.com
公司：
广东省集美设计工程公司 W组
职位：
总设计师

奖项：
广州流化君庭项目被照明设计杂志HOT2009评为西顿照明杯年度最具人气案例评选活动第二名
广州大学城新厨餐厅，太古仓壹号均获得2011上海金外滩设计大赛入围奖
2011年获得2011奥德堡“人与环境和谐”照明设计大赛银奖
2010、2011年连续两年获得广东省“岭南杯”项目技能大赛一等奖，并获得由广东省总工会、广东省人力资源和社会保障厅等单位联合颁发的年度广东省职工经济技术创新能手称号
2012年获得获得飞利浦家居照明设计大赛金奖
项目：
广州流花君庭项目
广州太古仓壹号
广州大学城商业中心
苏州吴江盛泽嘉诚国际综合会所
广州珠江帝景紫龙府

多彩的空间——广东省育才幼儿院二院
Guangdong Yucai Second Nursery

A 项目定位 Design Proposition
人类一切伟大的发明创造都是源于梦想的，而童年则是梦想最丰富的时期。于是，整个设计便围绕着这个比较抽象的主题而展开。

B 环境风格 Creativity & Aesthetics
简约的手法，几何的造型，抽象的隐喻是本案的设计主旨。

C 空间布局 Space Planning
在空间布局上设计师把一条七色彩带做为贯穿全场的枢纽——纽带时而成为小孩做实验的桌面，时而蜿蜒而上成为横跨阅读区上空的彩虹。

D 设计选材 Materials & Cost Effectiveness
为了杜绝活动区域的安全隐患，设计师运用了以下几个手法：1.地面全部使用免粘贴地胶铺设，最大程度减少甲醛对小孩的危害，既舒适又环保。2.大量PVC管作为立柱和斜坡的主材，既起到防碰撞的作用又呼应了本空间的圆形主题，同时也达到粗料精做，环保节能的作用。3.避免使用玻璃，石材等易碎，硬质的材料，代之以大量彩色软质皮革软包，保障了儿童运动中免受碰撞的伤害。4.所有灯光均选用LED光源；而灯杯全部加上防眩罩，避免直射光线对小孩的眼部伤害。5.所有移动家具全部入家具厂定制好再回来安装，尽量避免施工现场产生有毒废气与粉尘对教室日后的使用产生不良后果。

E 使用效果 Fidelity to Client
项目竣工后，得到了学校领导，老师与学生以及家长的一致认可。

Project Name_
Guangdong Yucai Second Nursery
Chief Designer_
Li Weiqiang
Location_
Guangzhou Guangdong
Project Area_
330sqm
Cost_
480,000RMB

项目名称_
多彩的空间——广东省育才幼儿院二院
主案设计_
李伟强
项目地点_
广东 广州市
项目面积_
330平方米
投资金额_
48万元

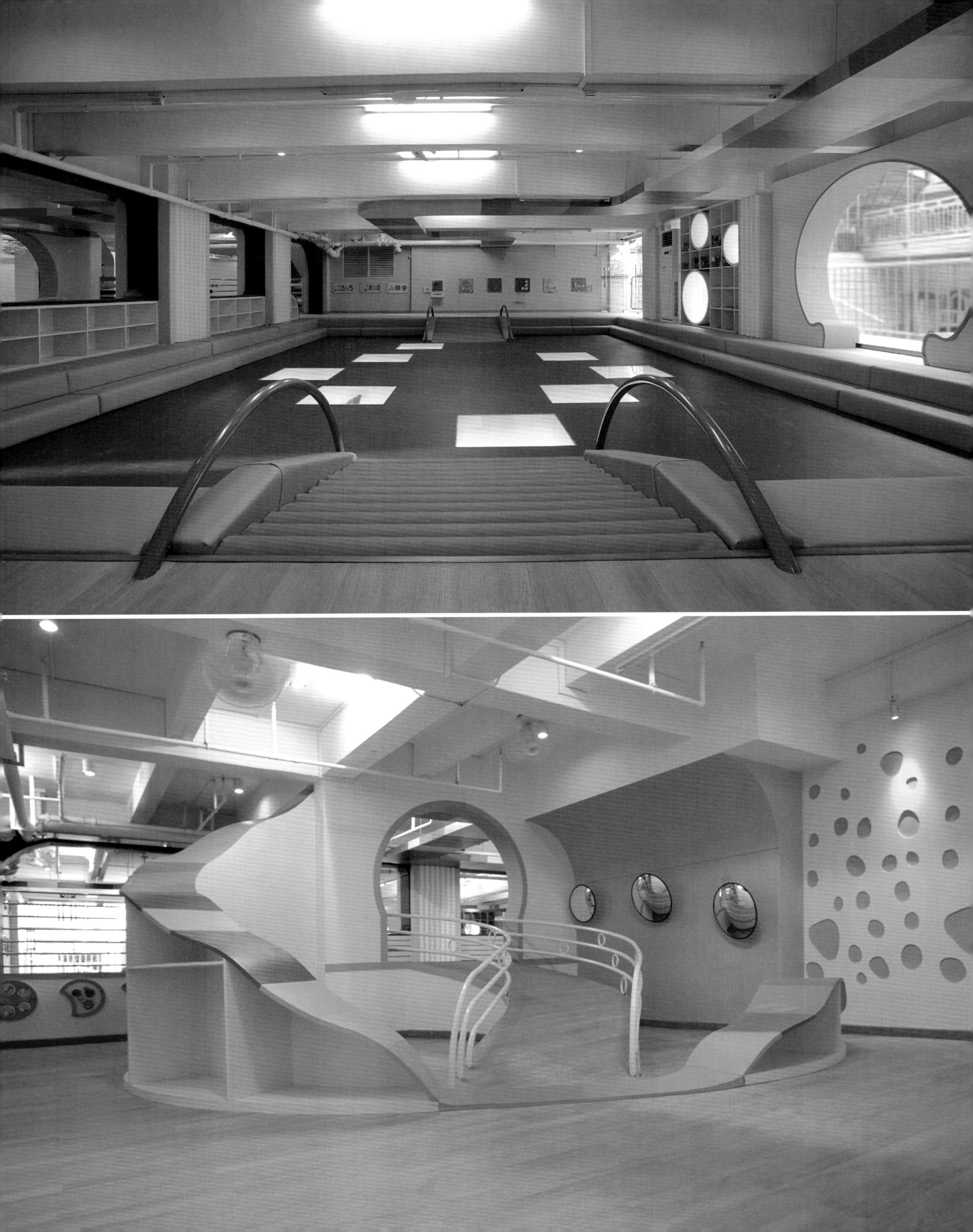

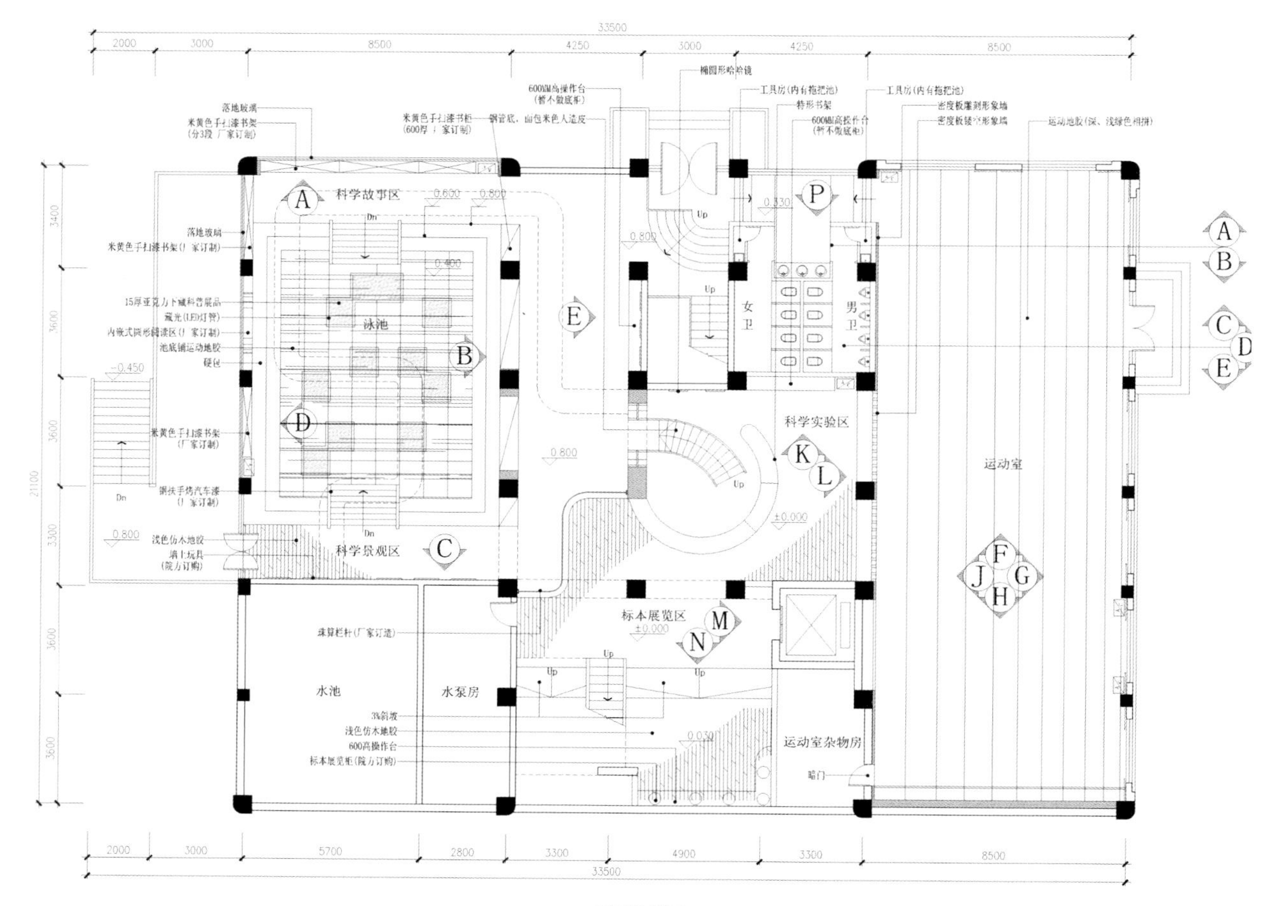
33500
科学故事区
泳池
科学景观区
科学实验区
运动室
标本展览区
水池
水泵房
运动室杂物房
女
卫
男
卫

平面布置图

主案设计：
马劲夫 Ma Jinfu
博客：
http:// 467647.china-designer.com
公司：
广州市和马装饰设计有限公司
职位：
创意总监

奖项：
金堂奖年度优秀作品
2009年中国饭店设计大赛综合型度假酒店银奖
2010年珠三角室内设计锦标赛空间组金奖
第四届、第五届、第六届全国室内设计双年展优秀奖

项目：
云南丽江福国大饭店
帝美灯公馆
金濠御宴

爽气含晖——时尚东方空间艺术文化展
Stylish Oriental Space Art and Culture Exhibition

A 项目定位 Design Proposition
出发点在于致力弘扬、继承、保护和发展东方民族建筑文化，探索“古建筑”在当今中国城市化大拆大建进程中的出路和生机。

B 环境风格 Creativity & Aesthetics
设立设计策划者通过对“古建筑”从外部结构到内部空间关系的再定义，使老旧建筑羽化成为时尚的化身，时尚与传统融合滋长，体现新岭南文化包容并促，勇于创新的精神。

C 空间布局 Space Planning
“青红文化会馆”致力传统文化和商业时尚融合持续发展的运营，为拯救更多即将被拆除和正在被摧毁的古建筑，通过与参观者互动交流，探求当下中国古建重生的解决之道。并由“和美软装事务所”倾力执行，营造感染情境空间，展览渗透唯美的文化艺术气息，时尚而具有东方韵味。相信空间能改变人的言行习惯，希望该展览能感染更多人，改变对古建筑的固有观念与态度，让古建筑在真实运用中重新焕发自身的生命力，成为文化传承的真实载体。

D 设计选材 Materials & Cost Effectiveness
采用下部为钢筋混凝土玻璃幕墙结构，上部为砖木结构的方式。

E 使用效果 Fidelity to Client
在如此一座独一无二的商业建筑体里面进行时尚东港空间艺术文化展览。吸引了大量的观众和媒体关注，实现了展览的初衷，而且正在发酵酝酿着新的成效。做到商业与文化并重。

Project Name_
Stylish Oriental Space Art and Culture Exhibition
Chief Designer_
Ma Jinfu
Participate Designer_
Ma Junqing, Liang Meiping, Mo Yingru
Location_
Guangzhou Guangdong
Project Area_
800sqm
Cost_
4,500,000RMB

项目名称_
爽气含晖——时尚东方空间艺术文化展
主案设计_
马劲夫
参与设计师_
马峻青、梁美平、莫颖茹
项目地点_
广东 广州市
项目面积_
800平方米
投资金额_
450万元

海靜韻尤妍
山深春

主案设计：
李晖 Li Hui
博客：
http:// 505819.china-designer.com
公司：
上海风语筑展览有限公司
职位：
设计总监

职称：
世界华人建筑师协会创始会员
《时代建筑》杂志编委

项目：
沈阳市规划展览馆
天津市规划展览馆
杭州市规划展览馆
崇明规划展览馆

平顶山市规划展览馆
Pingdingshan City Planning Exhibition Hall

A 项目定位 Design Proposition

平顶山城市规划展示馆以“生态鹰城，和谐家园”为主题，生动展现“生态建市、产业立市、文化强市、和谐兴市”的城市发展战略；以城市发展脉络为轴线，全面展示平顶山的悠久历史、建设成就和美好未来。

B 环境风格 Creativity & Aesthetics

整体设计风格现代简约，以地域文化性、规划专业性、亲民互动科技性为设计思想，同时穿插了平顶山历史文化特色元素，将传统的规划展示，演绎成为参观者观演、互动的精彩体验。

C 空间布局 Space Planning

展示馆从内容安排上和展示方式上，秉承优秀文化传统，描绘宏伟发展蓝图，采用场景式、剧情式布展手法，寓情节于主题空间，利用声、光、电等高科技手段，充分体现了平顶山开拓进取、跨越发展的时代精神，给人以极大的视觉震憾。

D 设计选材 Materials & Cost Effectiveness

选择使用金属、玻璃之类可循环利用材料，它们精美、高雅、易加工、表现力强，同时穿插使用天然材料，如木、石等的运用。

E 使用效果 Fidelity to Client

贯彻落实“生态建市、产业立市、文化强市、和谐兴市”的发展战略，全面展示平顶山市多层次的城市规划体系，充分反映鹰城的悠久历史、建设成就和美好前景，成为平顶山对外宣传的窗口和亮丽的名片。

Project Name_
Pingdingshan City Planning Exhibition Hall
Chief Designer_
Li Hui
Location_
Pingdingshan Henan
Project Area_
6,500sqm
Cost_
45,180,000RMB

项目名称_
平顶山市规划展览馆
主案设计_
李晖
项目地点_
河南省 平顶山市
项目面积_
6500平方米
投资金额_
4518万元

平顶山城市规划展示馆
PINGDINGSHAN PLANNING EXHIBITION HALL
生态鹰城 和谐家园

两个规划五年转移农村富余劳动力五十万
人非农产业就业比重达到百分之五十五城
乡交通电力通信饮水等生产生活条件得到
较大改善新建高速公路二百三十五点七公
里实现了县县通高速城乡居民收入分别比
十五末增长百分之八十三点六和百分之九
十二幸福指数提高二十三点八个百分点城

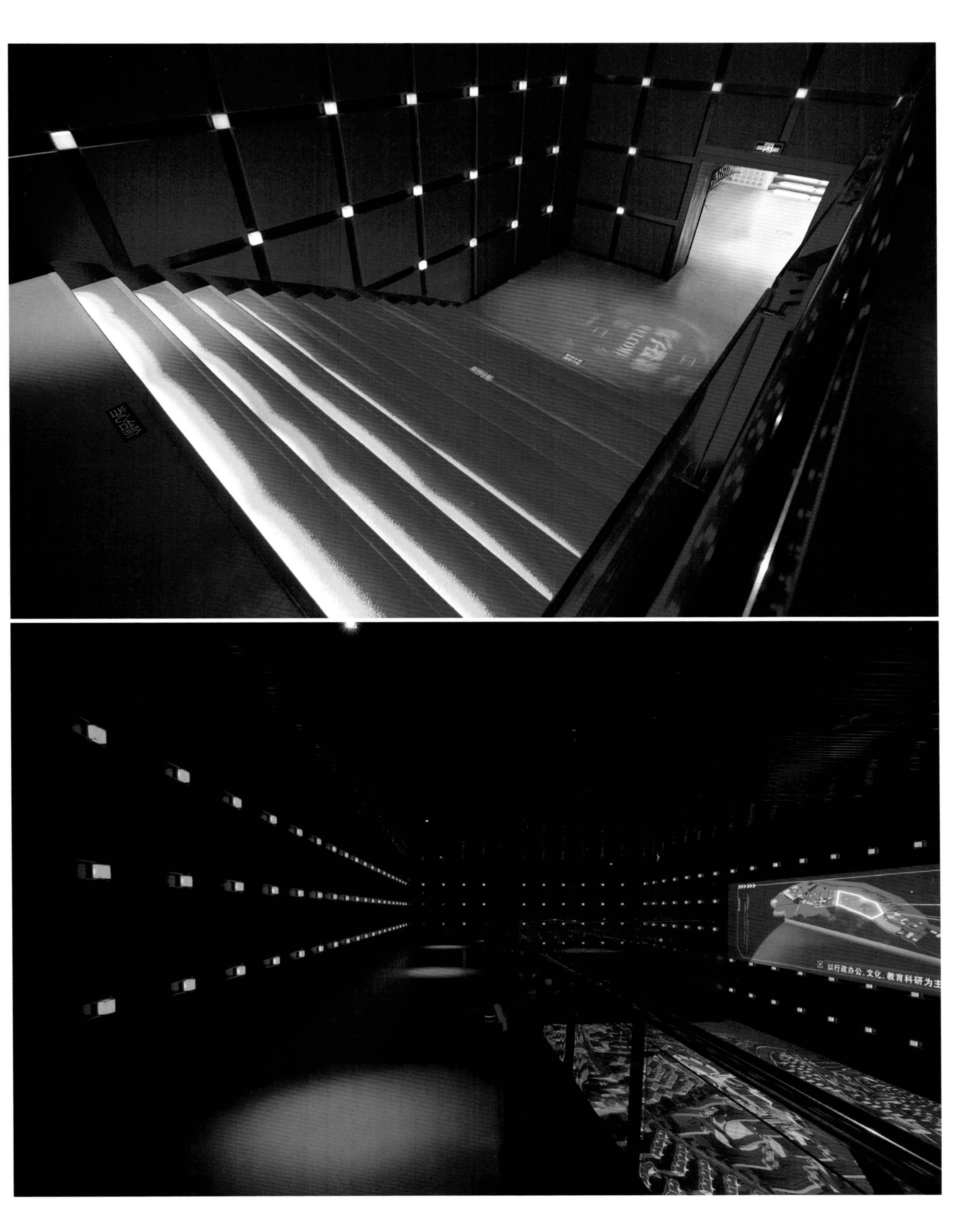
以行政办公、文化、教育科研为主

主案设计：
郭海兵 Guo Haibing
博客：
http:// 795810.china-designer.com
公司：
上海亿品展示设计工程有限公司
职位：
设计总监

奖项：
上海会展创意设计优秀设计者
上海会展创意设计优秀作品
中国室内设计金堂奖——年度优秀公共空间设计

项目：
广西南宁市规划展示馆
柳州城市规划展览馆
泰州市规划展示馆
天津博物馆
甘肃秦文化博物馆
上海科技馆儿童科技乐园馆
江苏太仓市科技活动中心
联合国气候大会(天津)NGO展示馆
德国SPM全球大会中国馆
中国石油天然气集团公司展示馆
国家开发银行上海分行展示馆

郎静山国际摄影艺术馆
Lang Jingshan International Photography Art Gallery

A 项目定位 Design Proposition
提炼【以画带影】的主题特色，采用国画定景手法，营造巨型活画艺术体验空间；打造中国集锦摄影艺术第一人、摄影艺术家郎静山先生的特色名人主题馆。

B 环境风格 Creativity & Aesthetics
以画带影，水墨画意。展馆设计将中国国画与摄影艺术高度融合，风格超逸、水墨飘渺又不失豪迈。展馆以灯光设计烘托艺术气氛，释放最大参观空间，还原作品最美色感。采用双层叠加式展示手法打造的艺术装置《春树奇峰》，完美诠释了郎老集锦摄影代表之作；诚邀著名雕塑大师亲力制作的郎静山先生雕像，再现郎老创作巅峰年华时期的神韵，成为展馆点睛之笔。

C 空间布局 Space Planning
一步一景，立体布局。空间布局的最大创新在于，引用了中国画里“定景”手法，以“相框”作元素，让参观者融入其中，感受到不同角度的画面构成，将整个展馆打造成一副巨型活画艺术展品。展馆设计注重有限空间的合理布局与流畅动线，布局开放，360度立体空间布局延伸视觉感受；关注展示内容的多样化艺术呈现，通过展台、展墙、艺术装置、名人雕塑、顶部投影长卷、多媒体装置等多角度、多层次，或动或静，构成点、线、面，上、中、下的丰富空间布局。

D 设计选材 Materials & Cost Effectiveness
精湛施工，品质卓越。展馆设计工艺精湛，选材考究，呼应主题，凸显品质。譬如选用水墨意味浓重的天然理石，配合展馆整体色调，强调其作品仙风道骨的飘逸感。

E 使用效果 Fidelity to Client
【郎静山国际摄影艺术馆】自开放以来得到各方好评，并成为社会各界和业内人士了解郎静山先生生平和作品的场所。成为国内一流的摄影艺术探讨研究基地、文化交流展出平台、艺术教育培育辅导中心。在中国摄影家协会的的支持下，展馆将成为摄影家们艺术展示、学术交流的平台，且拟与美国纽约摄影学会建立长期联系，共同推动国际摄影艺术创作。

Project Name_
Lang Jingshan International Photography Art Gallery
Chief Designer_
Guo Haibing
Participate Designer_
E-Pean
Location_
Huaian Jiangsu
Project Area_
400sqm
Cost_
4,000,000RMB

项目名称_
郎静山国际摄影艺术馆
主案设计_
郭海兵
参与设计师_
亿品设计团队
项目地点_
江苏省 淮安市
项目面积_
400平方米
投资金额_
400万元

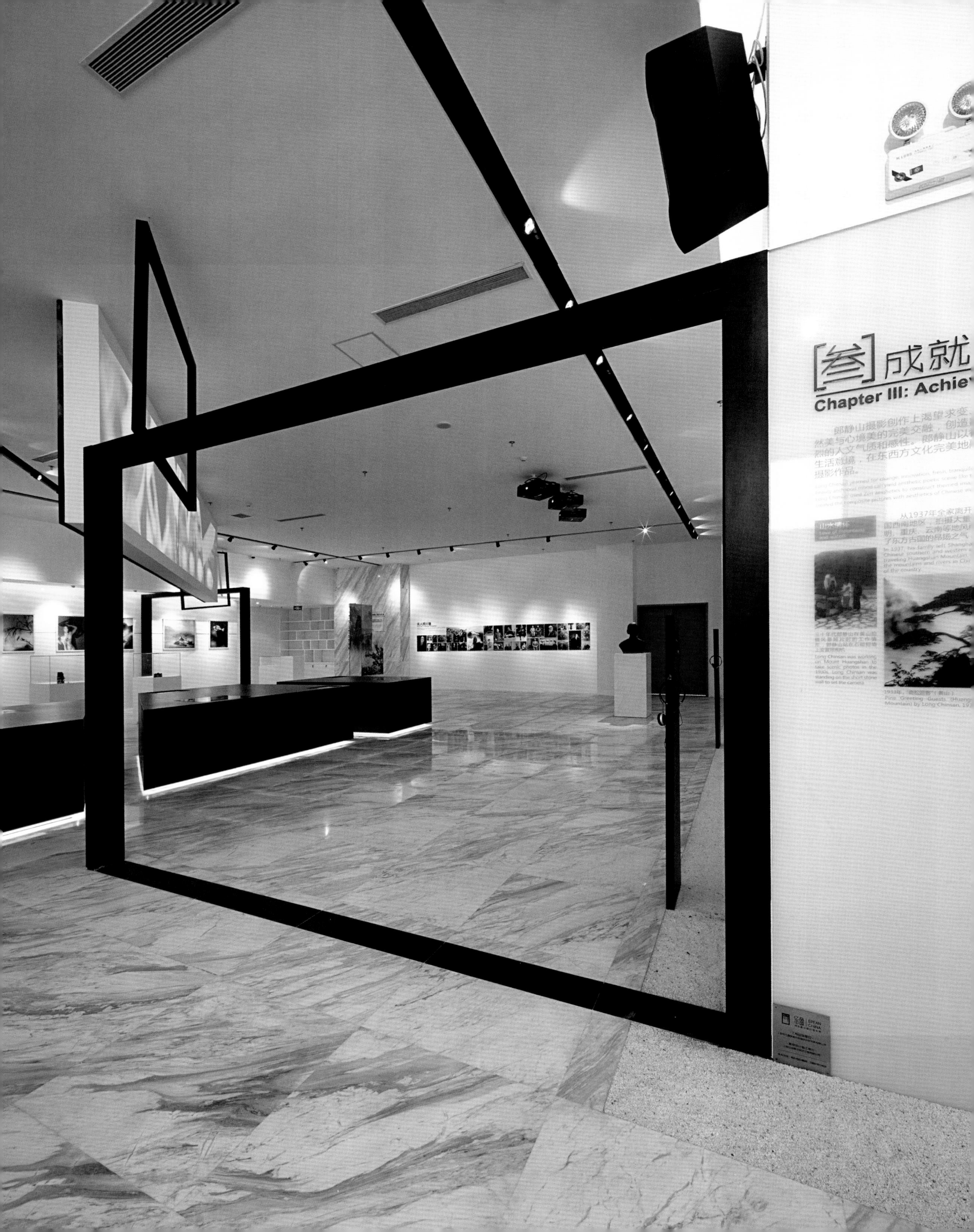
[叁]成就
Chapter III: Achie

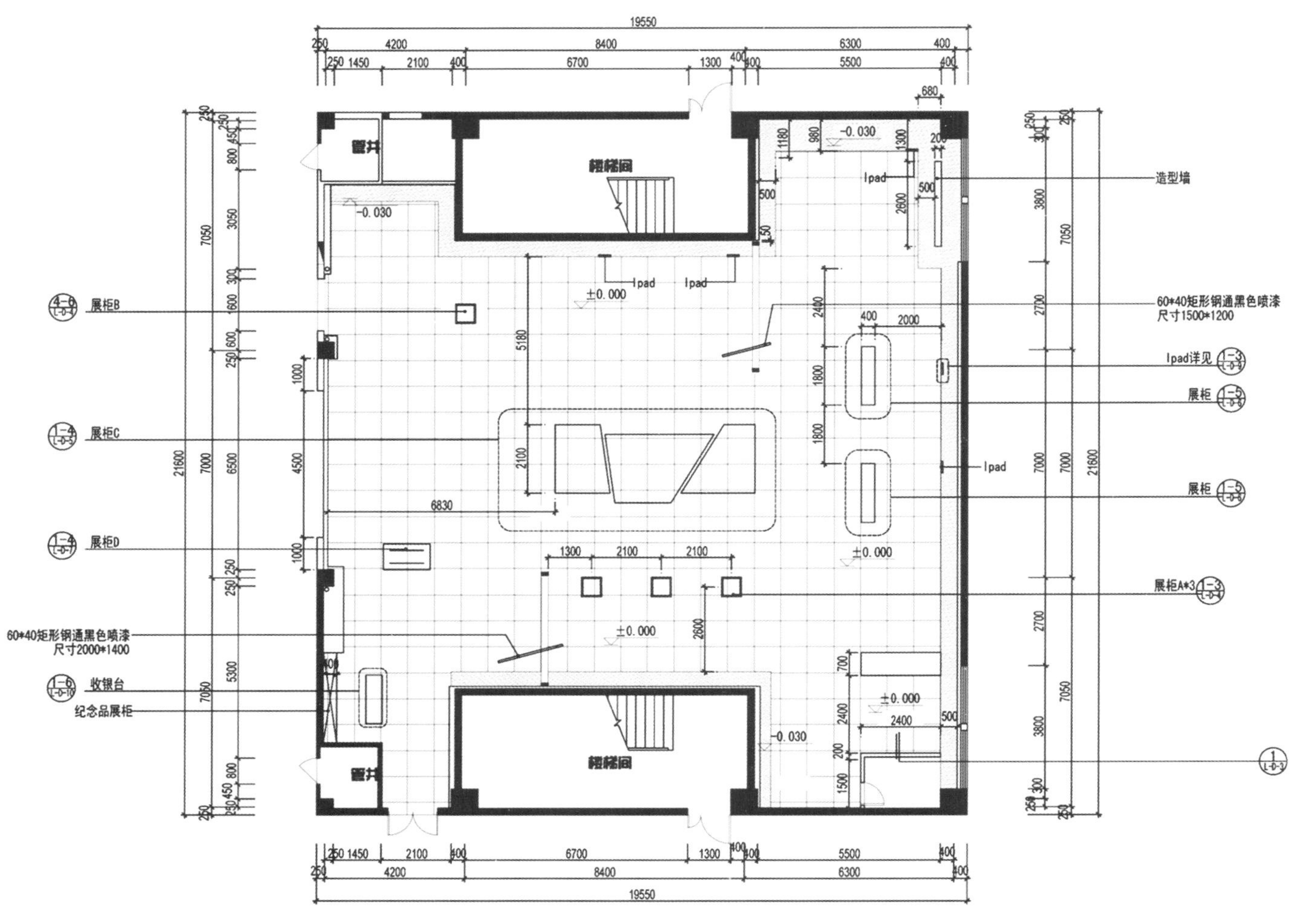
19550
4200
8400
6300
21600
管井
楼梯间
造型墙
Ipad
-0.030
±0.000
展柜B
60*40矩形钢通黑色喷漆
尺寸1500*1200
Ipad详见
展柜
展柜C
展柜D
展柜A*3
60*40矩形钢通黑色喷漆
尺寸2000*1400
收银台
纪念品展柜

一层平面布置图

后记

主案设计：
林燕 Lin Yan
博客：
http:// 822386.china-designer.com
公司：
无锡市迪赛环境艺术设计事务所
职位：
设计总监

奖项：
无锡射击射箭馆荣获江南之韵室内设计大奖赛一等奖
南通体育会展中心荣获华耐杯中国室内设计大奖赛二等奖
济南市行政事业国有资产管理运营有限公司荣获中国室内设计大奖赛二等奖
九龙公馆夜之魅会所荣获润澳星空间杯三等奖
连云港市体育中心游泳馆荣获金堂奖设计大奖赛优胜奖

项目：
南京奥体中心体育馆
无锡射击射箭馆
常州体育会展中心
巢湖市第一人民医院

梅村二胡文化园
Meicun Erhu Culture Park

A 项目定位 Design Proposition
梅村二胡文化园与梅里古都吴文化旅游景区毗邻，建筑前身为梅村影剧院，建筑风格为中式仿古建筑，为了保护和传承梅里地区民间工艺和特色文化，更好的打造“二胡工艺之乡”，当地政府将原影剧院改造成为二胡文化园。

B 环境风格 Creativity & Aesthetics
二胡文化园室内设计以“二胡”为核心载体，以阿炳的“二泉映月”为引线，充分挖掘“二胡文化”，把二胡文化通过现代设计手法完美地演绎在室内空间中，打造一个独具特色、气质高雅、底蕴深厚的二胡文化展示中心。

C 空间布局 Space Planning
文化园内设接待大厅、二胡历史文化厅、二胡精品厅、二胡企业厅、二胡工艺展示厅、二胡名曲体验厅、大师工作室展示厅、多功能演奏厅等功能区域，使参观者可以从二胡的起源、发展演变、艺术形式、到二胡的制作过程再到二胡表演欣赏等各个领域、各个方面更好地了解二胡文化。

D 设计选材 Materials & Cost Effectiveness
设计选材以体现传统文化氛围为主导方向，选用了仿古青砖、火山岩、毛面花岗岩、原木、茶镜等装饰材料，营造了一个具有浓郁中式风味的展示空间。

E 使用效果 Fidelity to Client
作品具有浓烈的地方特色，深受好评。

Project Name_
Meicun Erhu Culture Park
Chief Designer_
Lin Yan
Participate Designer_
Guo Hao, Huang Yong
Location_
Wuxi Jiangsu
Project Area_
3,000sqm
Cost_
15,000,000RMB

项目名称_
梅村二胡文化园
主案设计_
林燕
参与设计师_
郭浩、黄勇
项目地点_
江苏省 无锡市
项目面积_
3000平方米
投资金额_
1500万元

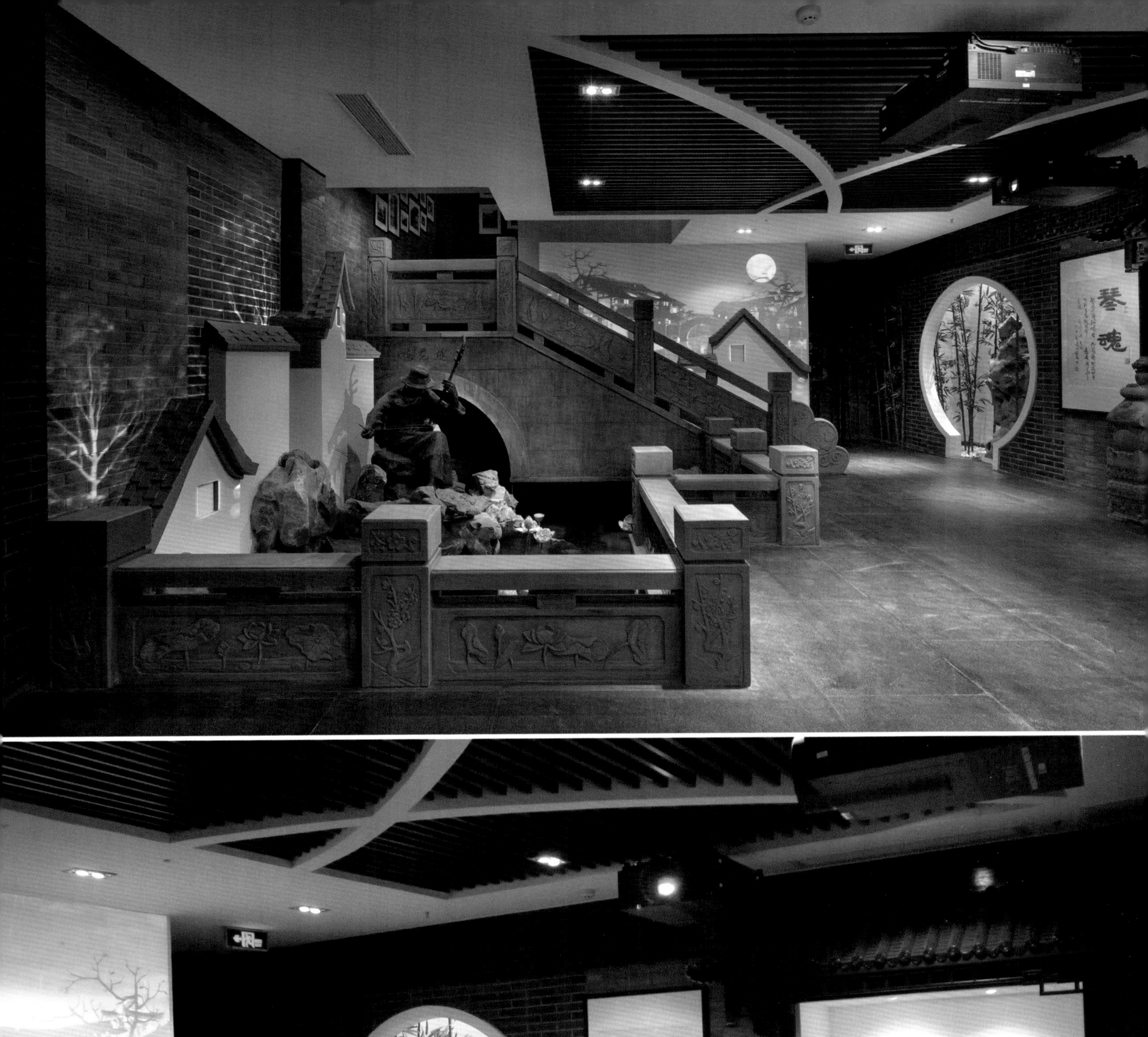
琴魂

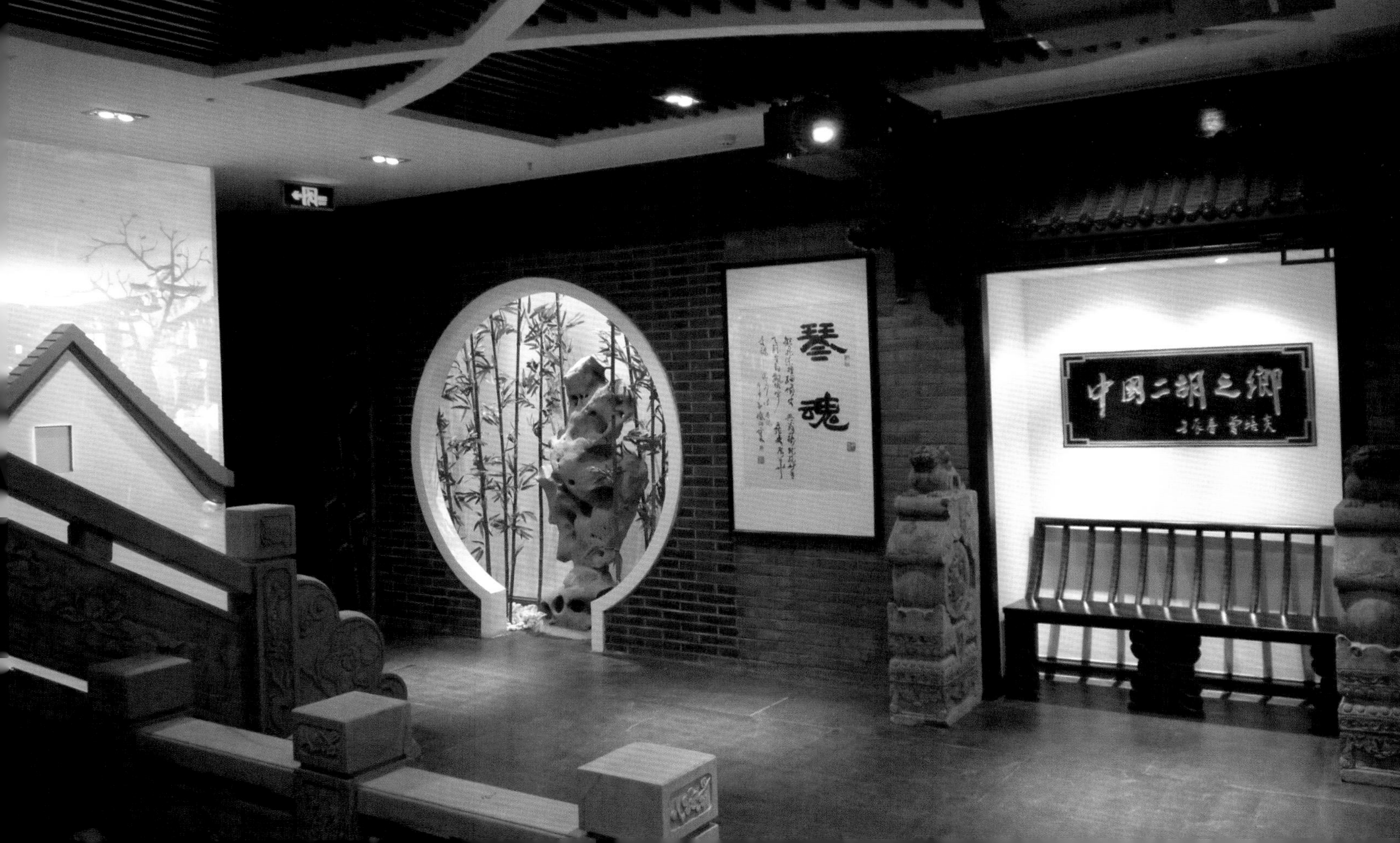
琴魂
中國二胡之鄉

名家
名琴展示

胡
二胡文化館

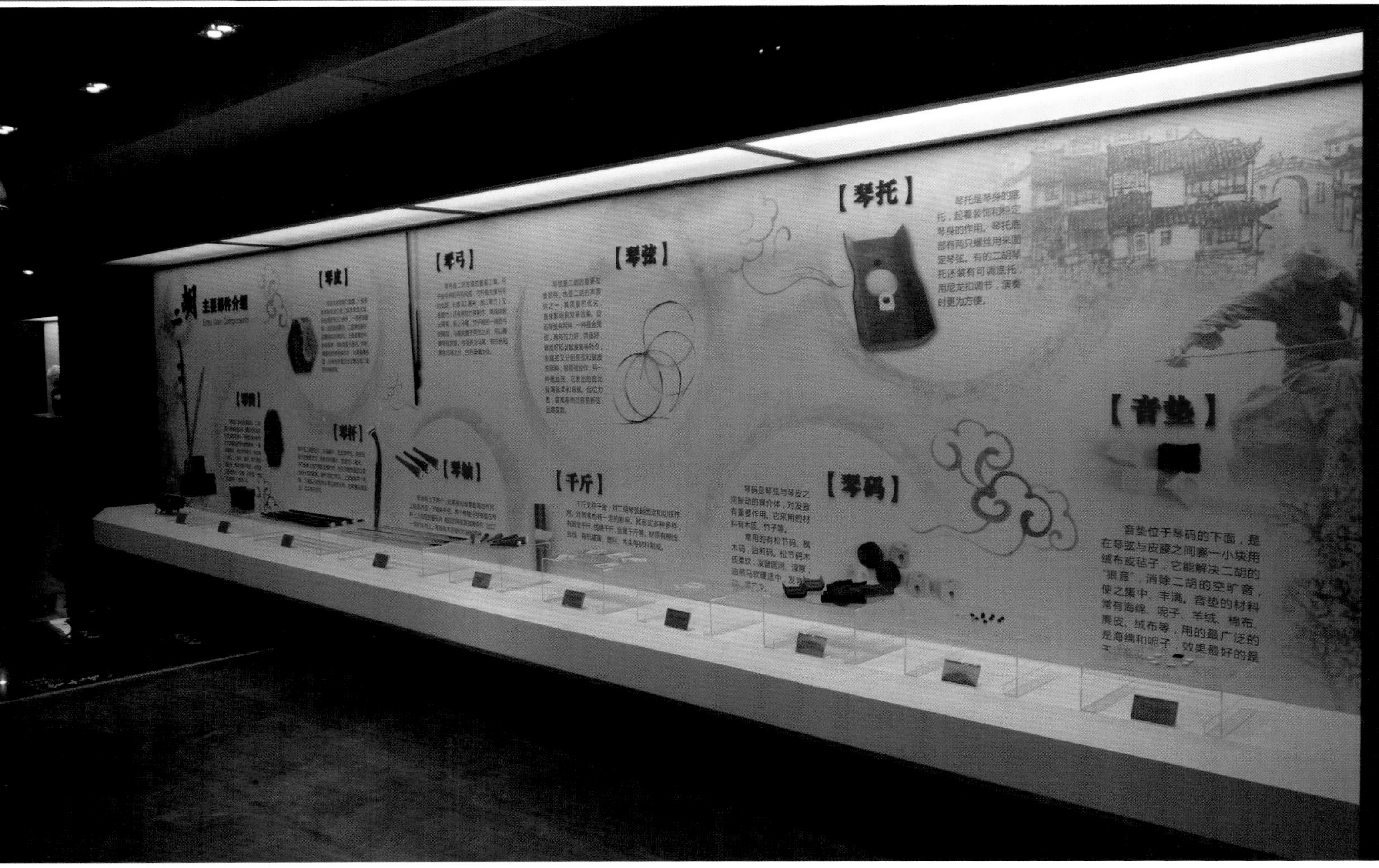
主要部件介绍
【琴皮】
【琴弓】
【琴弦】
【琴托】
琴托是琴身的底托，起着装饰和稳定琴身的作用。琴托底部有两只螺丝用来固定琴弦。有的二胡琴托还装有可调底托，用尼龙扣调节，演奏时更为方便。
【琴杆】
【琴轴】
【千斤】
【琴码】
【音垫】
音垫位于琴码的下面，是在琴弦与皮膜之间塞一小块用绒布或毡子，它能解决二胡的“狼音”，消除二胡的空旷音，使之集中、丰满。音垫的材料常有海绵、呢子、羊绒、棉布、鹿皮、绒布等，用的最广泛的是海绵和呢子，效果最好的是

主案设计：
吕军 Lv Jun
博客：
http:// 1004268.china-designer.com
公司：
吕氏国际室内建筑师事务所
职位：
设计总监

奖项：
2011年荣获第十四届中国室内设计大奖赛"中国室内设计学会奖"
2011年荣获中外酒店论坛2011年度"十大品牌酒店设计师"荣誉称号
2011年荣获"2011-2012中国室内设计师年度封面人物"荣誉称号
2009年12月《大芬美术馆设计》入选"第十一届全图美术作品展览"
2009年12月于北京人民大会堂被授予"1989～2009年中国百名优秀室内建筑师"荣誉称号

项目：
深圳北站交通枢纽工程
深圳大芬美术馆
成都双流机场T2航站楼
招商银行青岛分行办公楼
云南海梗会议中心

深圳北站
Shenzhen North Railway Station

A 项目定位 Design Proposition
以灰色为基调，各种直线曲线平衡分布，稳重大气，使北站极具国际视野。利用颜色区分，增加标示的辨识度，易于导向和乘客体验。

B 环境风格 Creativity & Aesthetics
通过东、西广场绿化等景观元素将山林与城市有机连接，营造人性化舒适的枢纽广场空间，山林绿化向城市的延展，强化深圳的东西轴线，让其成为深圳的山林之站。

C 空间布局 Space Planning
通过陈设的表现，打破空间单一性，融入深圳的地域元素。无障碍设计使行人出行更加方便，轨道换乘更加便捷。

D 设计选材 Materials & Cost Effectiveness
防火、环保、坚实耐用三大选材原则。所使用的材料包括人造石、铝板、钢板等绿色环保材料，像钢板虽然地铁内经常用，但其跟一般地铁的块面做法不一样，是用弧形的按照超大超宽的尺寸来做，让柱子感觉没有分割，非常简洁大方。

E 使用效果 Fidelity to Client
效果很好，体验很方便。

Project Name_
Shenzhen North Railway Station
Chief Designer_
Lv Jun
Participate Designer_
Yang Kai, Xue Feng, Chen Weixian, Zhu Xiaoou, Wei Xizheng, Shi Li
Location_
Shengzhen Guangdong
Project Area_
182,074sqm
Cost_
4,364,000,000RMB

项目名称_
深圳北站
主案设计_
吕军
参与设计师_
杨凯、薛峰、陈伟贤、朱晓欧、魏熙政、施力
项目地点_
广东省 深圳市
项目面积_
182074平方米
投资金额_
436400万元

A14
A15
公交车

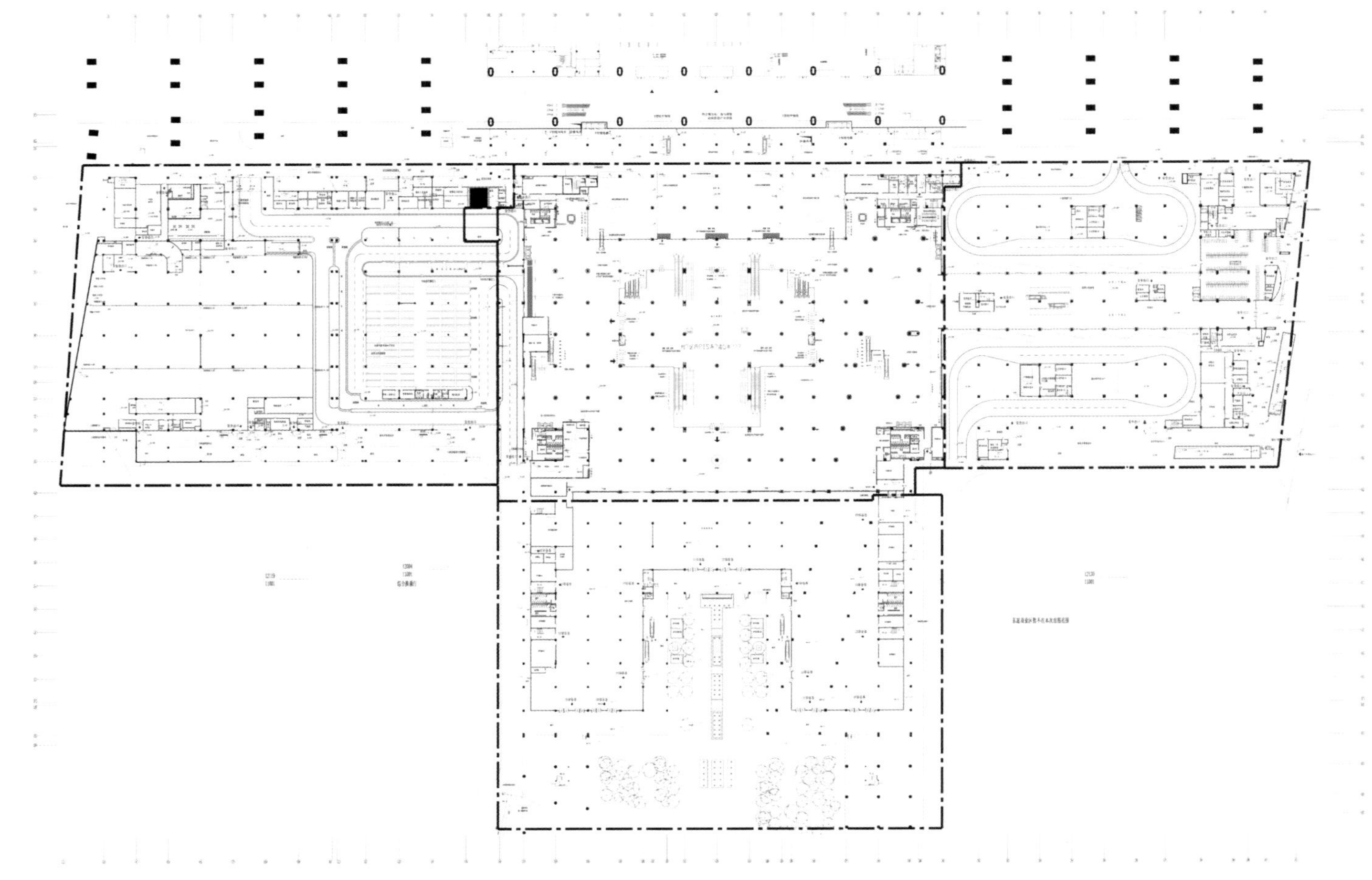

一层总平面图

问询处
出租车
Taxi
医疗点
Clinic
警务室
Police Affairs Office

主案设计：
吕军 Lv Jun
博客：
http:// 1004268.china-designer.com
公司：
吕氏国际室内建筑师事务所
职位：
设计总监

奖项：
2011年荣获第十四届中国室内设计大奖赛“中国室内设计学会奖”
2011年荣获中外酒店论坛2011年度“十大品牌酒店设计师”荣誉称号
2011年荣获“2011-2012中国室内设计师年度封面人物”荣誉称号
2009年12月《大芬美术馆设计》入选“第十一届全国美术作品展览”
2009年12月于北京人民大会堂被授予“1989～2009年中国百名优秀室内建筑师”荣誉称号

项目：
深圳北站交通枢纽工程
深圳大芬美术馆
成都双流机场T2航站楼
招商银行青岛分行办公楼
云南海梗会议中心

成都双流机场T2航站楼
Chengdu Shuangliu Airport Terminal 2

A 项目定位 Design Proposition

设计以鲜明的四川地域特色和深厚的文化底蕴为基础，中央处理大厅和指廊采用类似“竹叶”形状的单元重复排列构建，体现出巴蜀特有的“竹韵”；外墙部分则将采用大面积的玻璃作为墙体，使旅客在候机时可以毫无遮拦地欣赏飞机起降的场景。

B 环境风格 Creativity & Aesthetics

该航站楼由一片片大小不一的“竹叶”铺成，巨大的中央处理大厅以32榀巨大的空间斜放拱及金属与玻璃材料相间的屋顶构成，形成16片“竹叶”造型。延伸到车道上空的“竹叶”拱廊又可充当车道及人行道的雨蓬，整个航站楼显得轻盈、流畅、明亮、动感。

C 空间布局 Space Planning

大厅的两侧及其入口外墙设计采用点式玻璃幕墙系统，在航站楼内可欣赏飞机起降，当夜间大厅灯光通过幕墙透出，大厅又宛如一颗璀璨的“宝石”。T2航站楼与城际铁路、地铁、公交、出租和长途客运的站点相连，成为大型的地面综合交通枢纽。

D 设计选材 Materials & Cost Effectiveness

选材环保防火。

E 使用效果 Fidelity to Client

效果很好，体验很方便。

Project Name_
Chengdu Shuangliu Airport Terminal 2
Chief Designer_
Lv Jun
Participate Designer_
Xue Feng, Yang Kai, Zhu Xiaoou, Chen Weixian, Wei Xizheng, Huang Yimin, Liu Ming
Location_
Chengdu Sichuan
Project Area_
296,200sqm
Cost_
250,000,000RMB
项目名称_
成都双流机场T2航站楼
主案设计_
吕军
参与设计师_
薛峰、杨凯、朱晓欧、陈伟贤、魏熙政、黄奕敏、刘明
项目地点_
四川省 成都市
项目面积_
296200平方米
投资金额_
25000万元

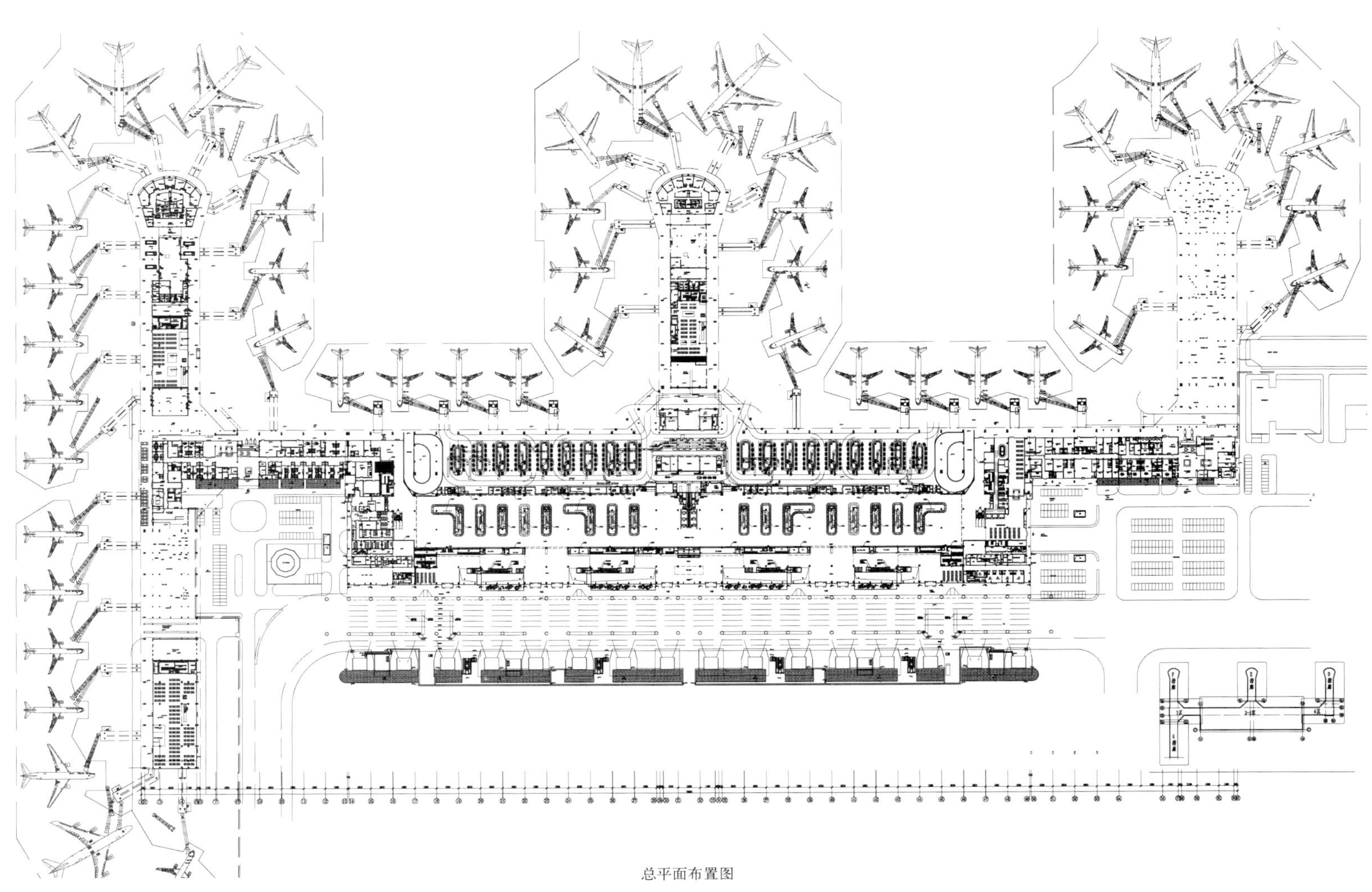
总平面布置图

四川特产汇
四川特产汇
10
11

主案设计：
王建强 Wang Jianqiang
博客：
http:// 1013100.china-designer.com
公司：
浙江世贸装饰设计工程有限公司
职位：
设计院院长

奖项：
2010“照明周刊杯”中国照明应用设计大赛设计奖
中国建筑装饰优秀工程设计奖等

项目：
中国庆元廊桥博物馆
湖南株洲规划展览馆
红军标语博物馆
杭州益维汽车工业有限公司
杭州杭氧股份有限公司
诸暨市水务集团
浙江省经济信息中心

中国庆元廊桥博物馆
Covered Bridges Museum of Qingyuan

A 项目定位 Design Proposition

中国廊桥，尤其是木拱廊桥，在世界桥梁史占有突出地位，被称为“创造性的天才杰作”、古代木结构桥梁的“活化石”。

B 环境风格 Creativity & Aesthetics

庆元及周边地区因保留有丰富、典型且连贯的木拱廊桥遗存，被誉为“中国廊桥之乡”。由此，我们将廊桥博物馆的陈列展示基本思路归纳为“顶天”与“立地”。

C 空间布局 Space Planning

“顶天”：所谓“顶天”，就是将中国廊桥，尤其是木拱廊桥作为世界级的文化遗产加以展示。将中国廊桥放到世界廊桥，乃至世界桥梁史中进行考量，挖掘中国廊桥，特别是木拱廊桥所蕴含的突出的普遍价值，并试图以非物质文化遗产博物馆的展示样式，充分展现木拱廊桥的特有技艺。

“立地”：所谓“立地”，就是立足“中国廊桥之乡”——庆元及周边地区丰富的廊桥文化遗存，兼及中国其他地区的廊桥文化。以庆元及周边地区的廊桥遗存与廊桥文化为个案，重点剖析廊桥与自然、廊桥与人文的关系，充分展现这一山地人居所特有的文化遗产。

D 设计选材 Materials & Cost Effectiveness

以庆元及周边地区廊桥遗存与廊桥文化为切入点，系统展现中国廊桥的技术特色与文化魅力；以剖析自然----廊桥----人三者之间关系为重点，充分挖掘木拱廊桥的历史、科学、艺术等文物价值和蕴含的非物质文化遗产价值；合理运用现代化的展陈手段，强化陈列展览的互动性和观众的参与性。

E 使用效果 Fidelity to Client

廊桥博物馆将成为展示中国廊桥文化和庆元乡土文化的重要窗口，成为保存木拱廊桥传统技艺和文化记忆的重要场所，成为当地居民和旅游者求知、游览和休憩的重要设施。

Project Name_
Covered Bridges Museum of Qingyuan
Chief Designer_
Wang Jianqiang
Participate Designer_
Zang Qingnian, Chen Fukui, Wang Qing
Location_
Lishui Zhejiang
Project Area_
2250sqm
Cost_
15,000,000RMB

项目名称_
中国庆元廊桥博物馆
主案设计_
王建强
参与设计师_
臧庆年、陈福奎、王晴
项目地点_
浙江省 丽水市
项目面积_
2250平方米
投资金额_
1500万元

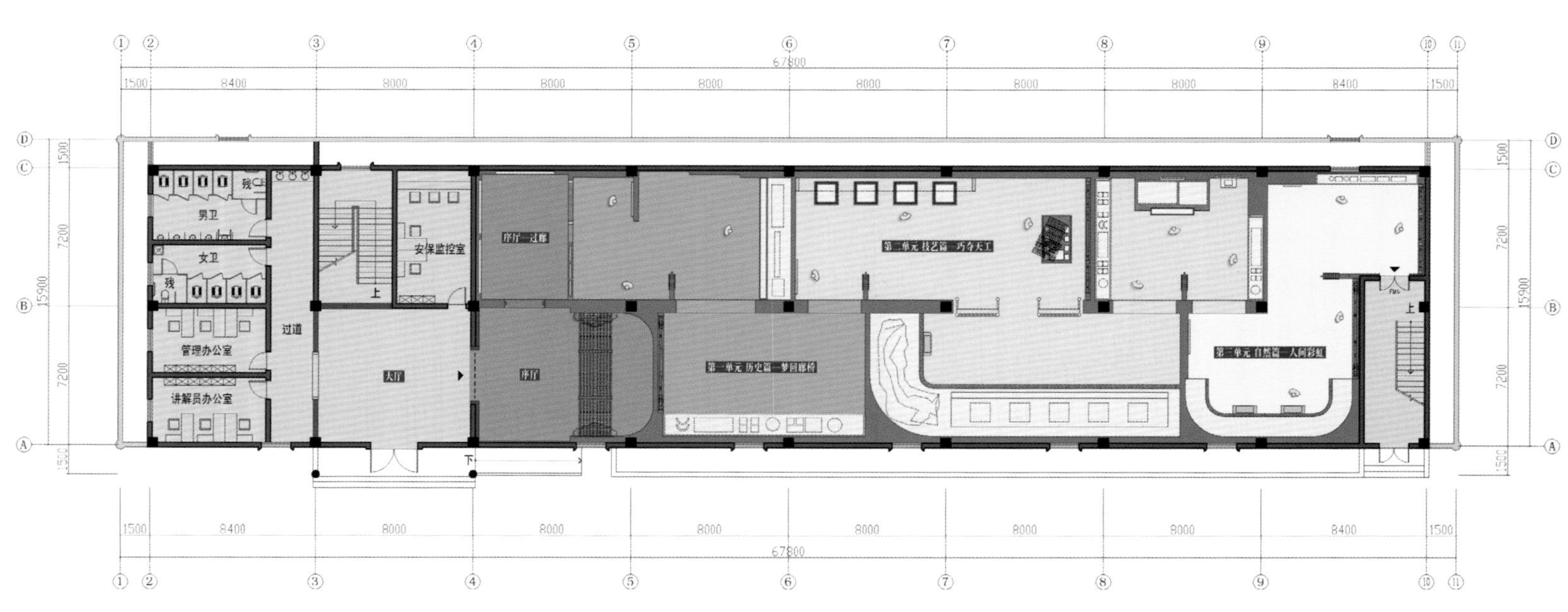

一层平面布置图

中國慶元廊橋博物館
廊桥的由来
【桥梁的起源】
【廊桥的出现】

浙闽地区
川滇地区
皖赣地区
陕甘地区
湘桂黔侗族地区
湖北鄂南地区

陶瓷遗韵
LINGERING VERVE

主案设计：
蔡鑫 Cai Xin
博客：
http:// 1013102.china-designer.com
公司： 上海埃绮凯祺建筑设计咨询有限公司（HKGGROUP）
职位：
主创设计师

奖项：
2009优秀室内设计师评选中获得“2008年度上海市优秀室内设计师”
上海第五届十大优秀青年室内设计师评选中获得“上海第五届十大优秀青年室内设计师”

项目：
无锡灵山梵宫
无锡灵山五印坛城
无锡长广溪湿地公园游客中心
无锡蜗牛坊等众多项目

无锡长广溪湿地公园游客中心
Wuxi Changguangxi Wetland Park Tourist Center

A 项目定位 Design Proposition
将游客对湿地的体会放在首位，功能完善和空间舒适度充分协调。重点实现人文感受和视觉享受。

B 环境风格 Creativity & Aesthetics
将湿地独有的色彩、质感、形态运用其中。蜻蜓、芦苇、原木生动展示了湿地的画卷。

C 空间布局 Space Planning
充分利用建筑原有的回字形特点，将公共区域与相应的功能紧密联系，在满足充分舒适度情况下，让所有的空间都能发挥到极致。并且将原有流线和功能分区按照游客的游览路线全部重新策划，已达到最佳的使用状态。让每个区域都能直接感受到室外美景带来的乐趣，达到借景的目的。

D 设计选材 Materials & Cost Effectiveness
灰色、绿色、原木的色调。质朴、自然、麻质的质感。现代、简约、创新的加工工艺。将生态、节能、人文的感受充分融入其中。

E 使用效果 Fidelity to Client
功能的合理布局、为日后的管理提供了全方位的支撑。

Project Name_
Wuxi Changguangxi Wetland Park Tourist Center
Chief Designer_
Cai Xin
Participate Designer_
Shen Hanfeng, Jin Jiaming, Zhang Yan
Location_
Wuxi Jiangsu
Project Area_
4,100sqm
Cost_
8,000,000RMB

项目名称_
无锡长广溪湿地公园游客中心
主案设计_
蔡鑫
参与设计师_
沈寒峰、金佳明、章廷
项目地点_
江苏省 无锡市
项目面积_
4100平方米
投资金额_
800万元

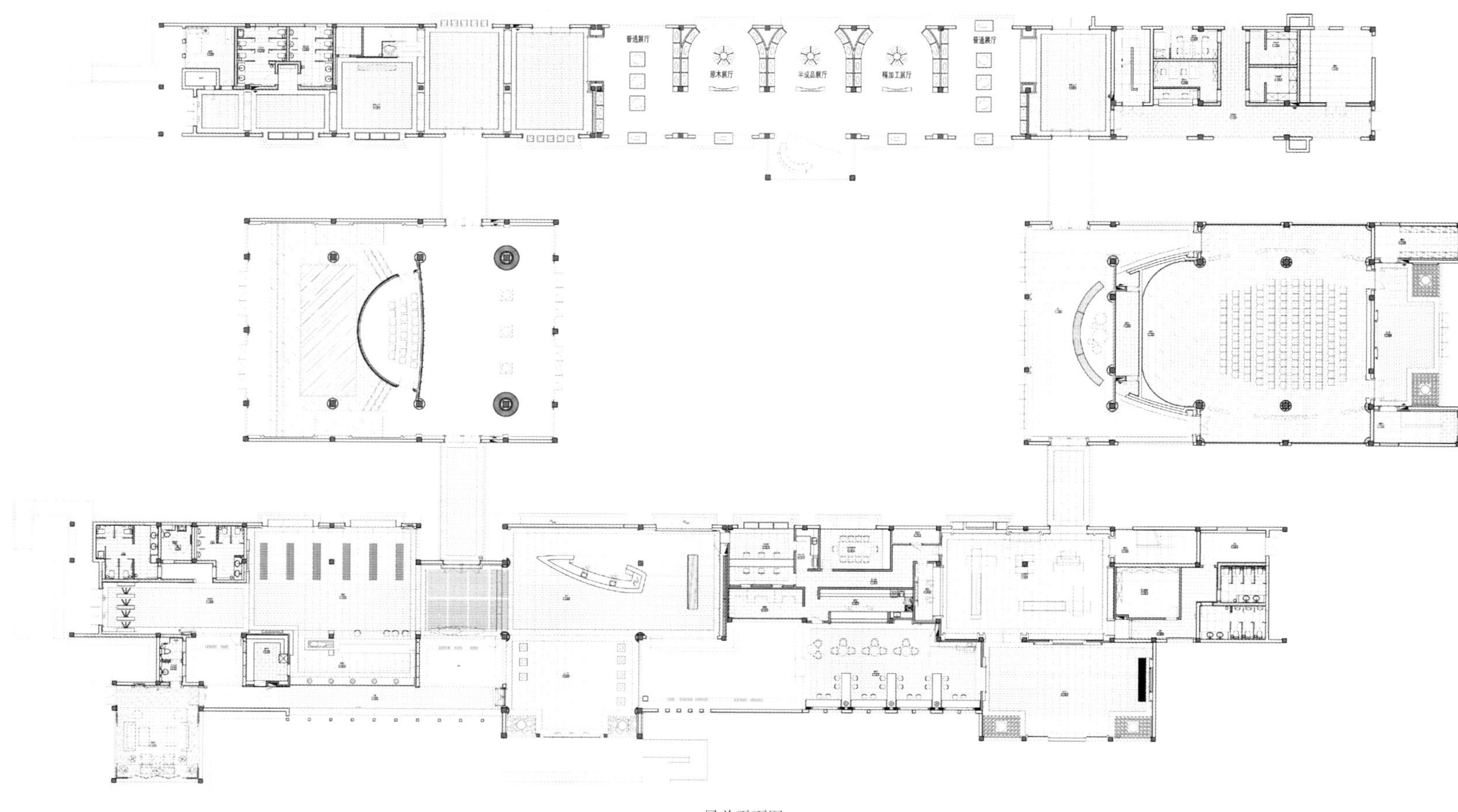

一层总平面图

主案设计：
肖艳辉 Xiao Yanhui
博客：
http:// 1014238.china-designer.com
公司：
郑州大学综合设计研究院
职位：
设计总监

项目：
龙门博物馆

龙门博物馆
Longmen Museum

Project Name_
Longmen Museum
Chief Designer_
Xiao Yanhui
Participate Designer_
Hu Yaohui, Xin Qizeng
Location_
Luoyang Henan
Project Area_
10,000sqm
Cost_
80,000,000RMB

项目名称_
龙门博物馆
主案设计_
肖艳辉
参与设计师_
胡耀辉、莘奇曾
项目地点_
河南省 洛阳市
项目面积_
10000平方米
投资金额_
8000万元

A 项目定位 Design Proposition
设计讲求与龙门石窟景区环境融为一体；与洛阳盛世的其实融为一体；与佛教文化、理念、思想融为一体；与龙门石窟景区的整体功能融为一体。

B 环境风格 Creativity & Aesthetics
用现代主义简洁明快的造型语言与佛教中“圆”和“空”的佛教思想相融合，诠释一个具有东方意境的当代建筑空间。

C 空间布局 Space Planning
本案从建筑本身到室内空间布局设计都遵循一个根本理念，即从博大精深的佛教文化中汲取营养，获取灵感，并很好的运用到本案。最有特点的就是建筑中间圆形中空部分。

D 设计选材 Materials & Cost Effectiveness
选用本地特有洞石石材，运用东西方传统工艺中都具有的马赛克拼贴技法，既有效地降低造价，又合理解决了建筑球面外装饰的施工难题。在现代语境中，呈现出一种独特的建筑魅力。

E 使用效果 Fidelity to Client
龙门石窟博物馆是以龙门石窟为依托，在石窟景区内建立的一座保护和研究石窟艺术的专题博物馆。全面开馆后，前来参观学习的游客及学者定会络绎不绝。

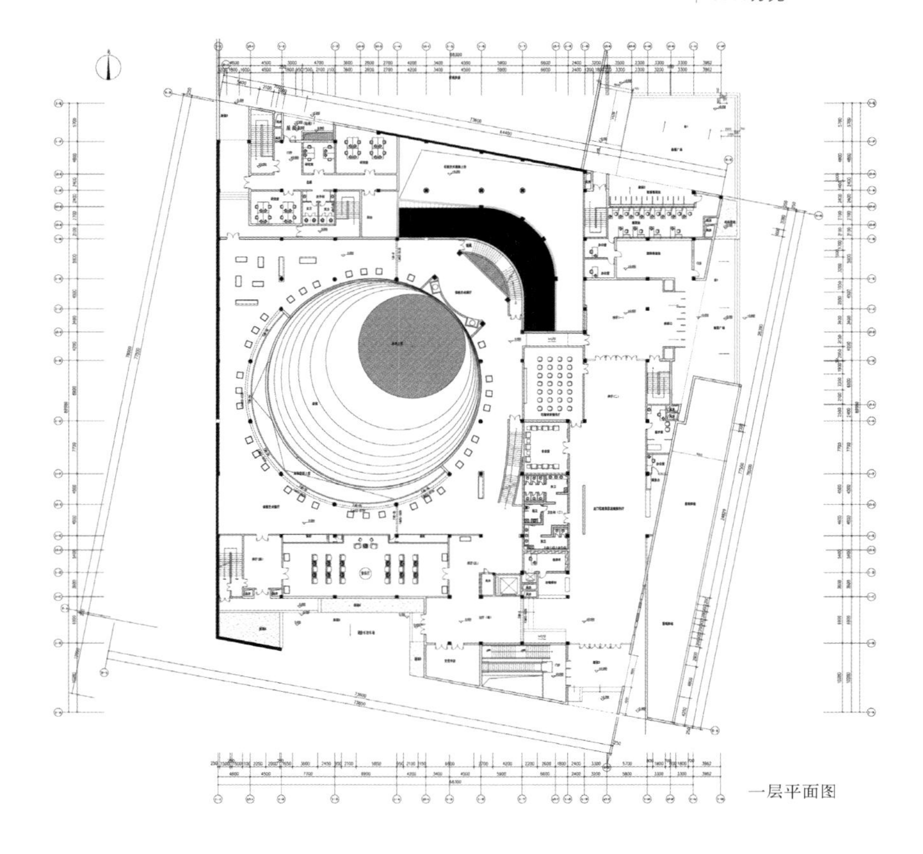

一层平面图

主案设计：
董升 Dong Sheng
博客：
http:// 1014941.china-designer.com
公司：
风禾设计事务所
职位：
创始人

项目：
慈城中学
蓝海SOHO
北京前门23号
顾氏中医院
小肥羊连锁
小港中心幼儿园
国泰街历史文化街道提升改造

惠贞书院图书馆
Huizhen College Library

A 项目定位 Design Proposition
对于一个学校来说，最能体现它人文气息之处就是图书馆。如何展现精华所聚之地，简朴而又准确勾勒出学校的办学理念，同时融入传统与现代元素，使之一体，便成为本案设计的命题。

B 环境风格 Creativity & Aesthetics
营造既有传承又有包容，既厚重又轻松，既流畅又宁静，既肃穆又温馨的氛围。

C 空间布局 Space Planning
文字作为人类文明重要载体之一，其舒畅优美，变化无穷，一言难概之。提炼它的形与意，贯穿整个空间并结合色彩块面的分割。

D 设计选材 Materials & Cost Effectiveness
选材注意在厚重中加入轻松的质感。

E 使用效果 Fidelity to Client
一个多元矛盾的合体，一切又是自然的。

Project Name_
Huizhen College Library
Chief Designer_
Dong Sheng
Location_
Ningbo Zhejiang
Project Area_
800sqm
Cost_
800,000RMB

项目名称_
惠贞书院图书馆
主案设计_
董升
项目地点_
浙江省 宁波市
项目面积_
800平方米
投资金额_
80万元

Quis bonus
Cerimônia boa
Церемония хорошее
Cerimônia una bona
外文图书

Searmaoas dea
Upacara baik
Slovesnost dobro
Cerimonija tajba
Cerimonia buona
Töreni iyi
Ceremonija geras
Ekitaldia ona
Церемонијата добри
Mailis baik
Tseremoonia hea
Ünneps ég jó

安全出口
EXIT

主案设计：
刘敏 Liu Ming
博客：
http:// 1015236.china-designer.com
公司：
重庆奇墨装饰设计咨询有限公司
职位：
设计总监

奖项：
2009年《TOP装潢世界》重庆十大新锐室内设计师
2012年风尚《渝报》重庆首席室内设计师

项目：
重庆名朗美业丽冠美容
武隆人民法院
重庆水星卓润实业
浙江省宁波天童旅游景区
重庆南岸区图书馆

重庆市南岸区图书馆
Nan’an District Library of Chongqing

A 项目定位 Design Proposition
此建筑位于重庆南岸区繁华的步行街，区府旁，是人们精神追求的加油站，给市民一个在购物物质需求满足后，提供精神需求的阅读空间，同时也为儿童，少年特供一个学习进步的场所。

B 环境风格 Creativity & Aesthetics
此建筑建筑外立面为现代风格，为呼应建筑风格，把室内空间也定位以现代、简约为中心的设计理念。

C 空间布局 Space Planning
此建筑共四层，空间设计把综合办公区考虑在五楼，相对独立，减少干扰。空间设计把成人阅读区考虑在四楼，方便读者，方便管理。三楼是文艺中心，未改造。二楼是和外广场平台相通。空间设计把少年儿童阅读区考虑在二楼，方便少年儿童出入，家长观察和陪同，更安全方便。

D 设计选材 Materials & Cost Effectiveness
材料设计综合办公区时考虑在综合办公区五楼，要重点考虑噪音及干扰问题，所以墙面采用木质吸音板为主要材质，配合不锈钢材质，突出现代，简约的设计中心。 四楼成人阅读区材料设计时考虑安全，干扰，明亮的设计要求，采用乳胶漆，地面玻化石，天棚硅钙板的设计。二楼少年儿童阅读区材料设计时考虑安全，活跃，明亮，童趣的设计要求，采用墙面彩绘，天棚局部采用吸音石膏板，地面采用防滑，抗菌的环保地胶，既美观又安全。

E 使用效果 Fidelity to Client
本空间对市民开放后，经过一段时间的使用，得到广大市民，少年儿童，业主方和政府相关领导的肯定。

Project Name_
Nan’an District Library of Chongqing
Chief Designer_
Liu Ming
Location_
Nan'an Chongqing
Project Area_
4,500sqm
Cost_
6,300,000RMB

项目名称_
重庆市南岸区图书馆
主案设计_
刘敏
项目地点_
重庆市 南岸区
项目面积_
4500平方米
投资金额_
630万元

重庆市南岸区图书馆

春華秋實

动漫阅览区
亲子阅览区
发明
少儿足球

消火栓
灭火器箱
火警119

百科全书
世界经典童话
中国通史
鸟类地图集
中国少年儿童
少儿足球
美国国家地理
世界经典童话
发明
海洋生物

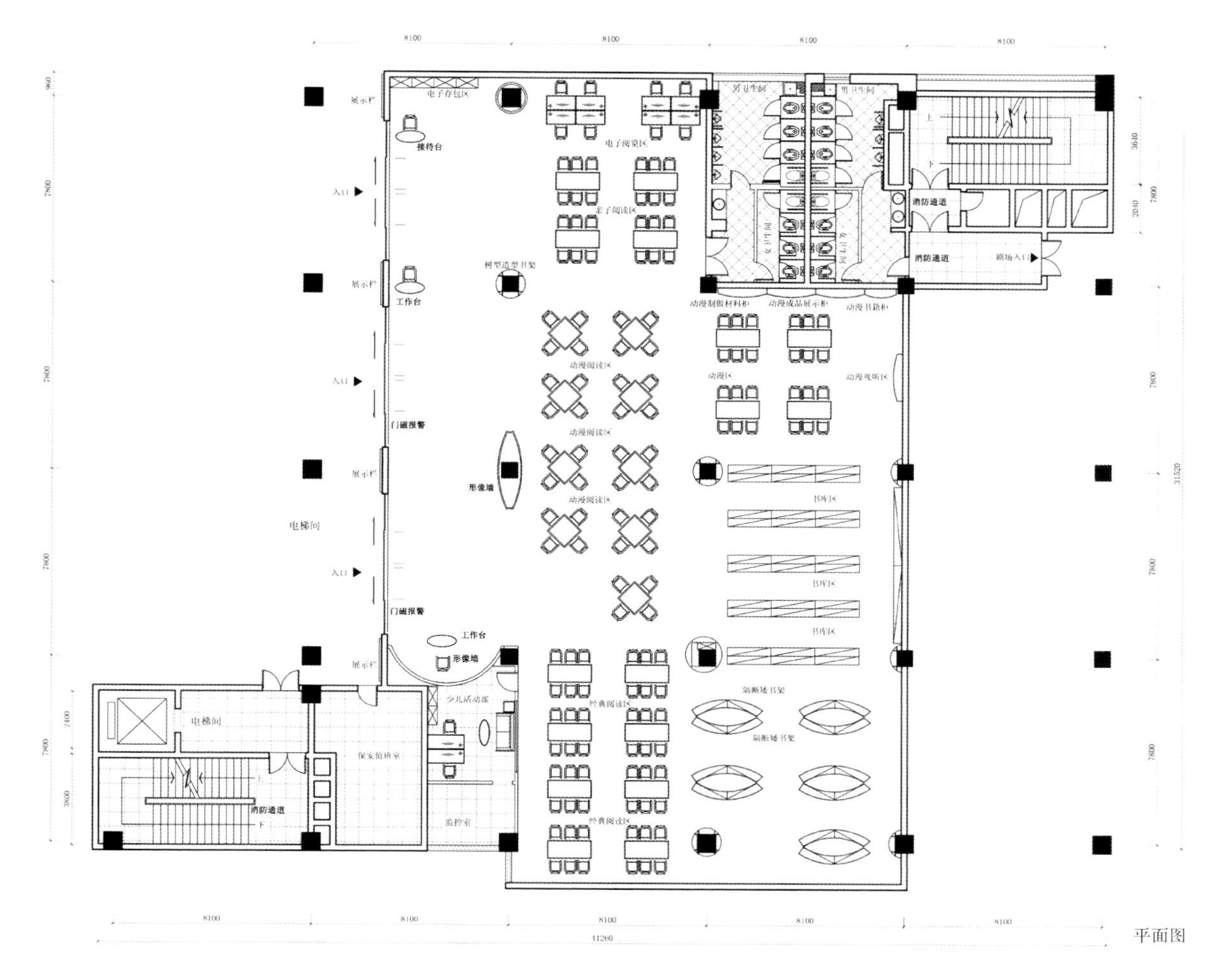
8100
电子存包区
接待台
电子阅览区
亲子阅读区
入口
展示栏
树型造型书架
工作台
男卫生间
女卫生间
消防通道
动漫阅读区
动漫区
门磁报警
形像墙
书库区
电梯间
少儿活动部
经典阅读区
保安值班室
监控室
31520
41260

平面图

主案设计：
方雷 Fang Lei
博客：
http:// 1015587.china-designer.com
公司：
杭州国美建筑装饰设计院有限公司
职位：
项目主任

奖项：
2009年民生药业办公大楼装修设计
2010年中国棋院杭州分院的设计
2010年天元大厦酒店的改造设计
2011年参与上海世博会中国馆的软装陈设设计

中国围棋博物馆
Chinese Go Chess Museum

A 项目定位 Design Proposition
精品围棋博物馆，全国唯一。

B 环境风格 Creativity & Aesthetics
以棋文化为主题的结合酒店的博物馆。

C 空间布局 Space Planning
空间自然流动，动静结合，吸收中式元素，处处对景，突出围棋文化。

D 设计选材 Materials & Cost Effectiveness
选用朴实的材料，突出人与自然的结合。

E 使用效果 Fidelity to Client
结合酒店，餐饮做到可持续发展，以酒店养博物馆，博物馆做酒店的亮点的双赢结合。

Project Name_
Chinese Go Chess Museum
Chief Designer_
Fang Lei
Participate Designer_
Zhang Yi, Huang Xin
Location_
Hangzhou Zhejiang
Project Area_
2,000sqm
Cost_
10,000,000RMB

项目名称_
中国围棋博物馆
主案设计_
方雷
参与设计师_
张怡、黄昕
项目地点_
浙江省 杭州市
项目面积_
2000平方米
投资金额_
1000万元

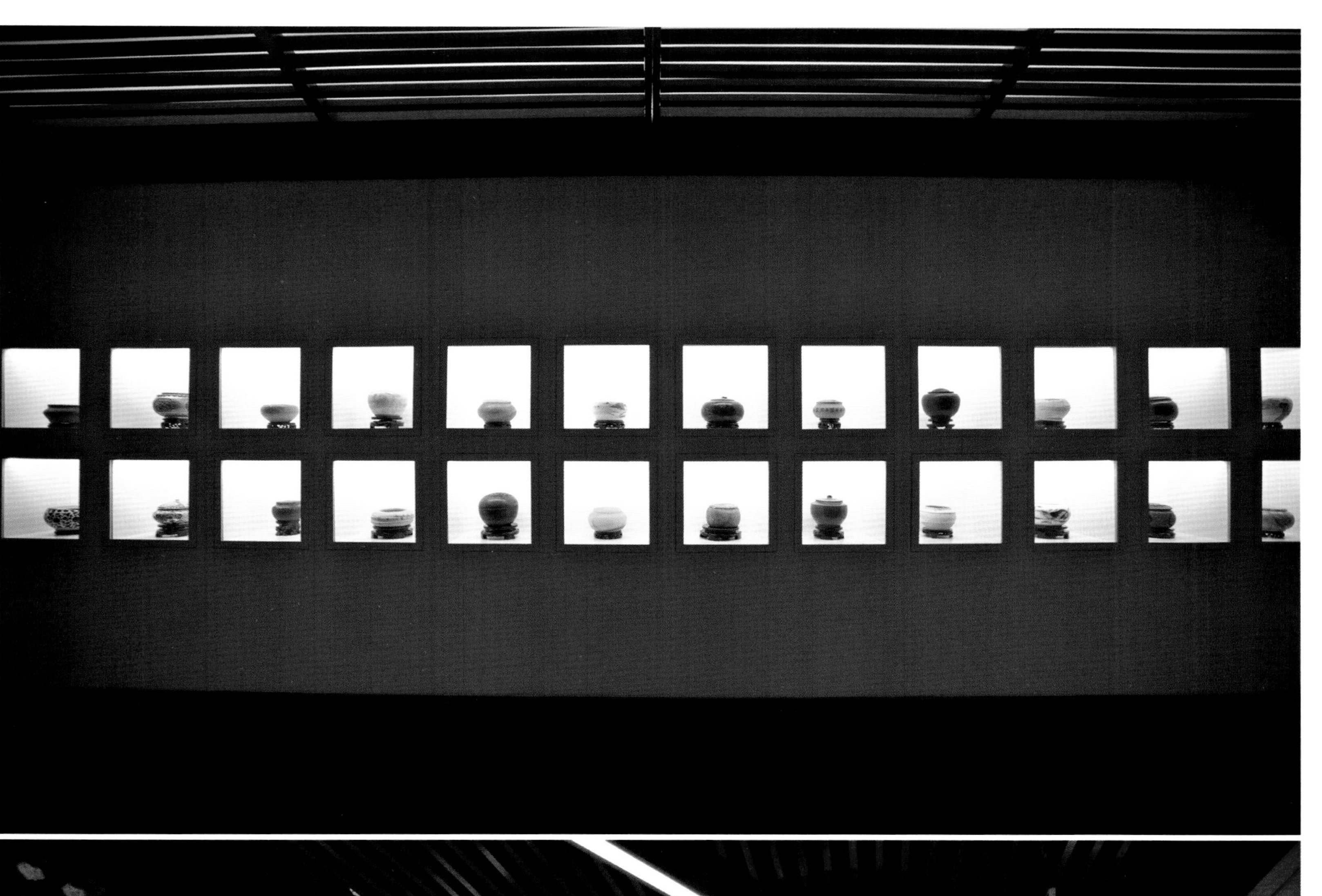

主案设计：
易伟 Yi Wei
博客：
http:// 1015694.china-designer.com
公司：
成都主道设计工程有限公司
职位：
设计师

奖项：
2011亚太室内设计金鹰赛优胜奖
项目：
洛带博客小镇精品客栈样板设计
东区音乐公园拾得雨林实践中心、艺术超市
龙湖地产晋阳售楼部及样板间设计
重庆华润万象城招商中心设计
深圳巴蜀风二代餐饮店
重庆竹叶三和鱼连锁餐饮店
成都消防支队警官之家
中铁奥威尔会所设计
乐山嘉州长卷售楼部
朗基龙堂售楼部设计
龙湖时代天街精装样板房设计

成都艺术超市
Chengdu Art Supermarket

A 项目定位 Design Proposition
都艺术超市是由成都商报投资打造的成都乃至西南地区最大的集艺术教育、收藏、展示于一体的大型综合艺术平台，七家艺术院校及六家艺术机构已入驻。该空间要求专业性及群众公益性并行。艺术跟生活的联系越来越紧密，并且在当前也愈加市场化。

B 环境风格 Creativity & Aesthetics
本案切实的结合专业性与群众公益性为主导，考虑到专业展厅所应该具备的功能性，在整体色调上为了突出艺术品，空间尽量采用黑白灰的组织形式。由于整体空间设计采用的是室内再建筑模块，光源利用上很好的把握了，自然光与照明光的结合。

C 空间布局 Space Planning
在功能划分上很有意思的结合“村庄与部落”这个主题，融入了广场，街道，村庄，小院等。把平时严谨，拘束的空间变的舒适，有趣。

D 设计选材 Materials & Cost Effectiveness
由于整个空间是一个老旧工厂二楼完成，考虑到安全和消防种种因素。在材料选样上尽量采用，轻质，防火，环保的材料。

E 使用效果 Fidelity to Client
在艺术业界反映良好。

Project Name_
Chengdu Art Supermarket
Chief Designer_
Yi Wei
Participate Designer_
Hua Xiang, Hao Yunkun, Chen Shi
Location_
Sichuan Chengdu
Project Area_
4,200sqm
Cost_
30,000,000RMB

项目名称_
成都艺术超市
主案设计_
易伟
参与设计师_
华翔、郝雨琨、陈石
项目地点_
四川省 成都市
项目面积_
4200平方米
投资金额_
3000万元

歲月畫廊
- SUIYUE ART GALLERY -

千件艺术品进千家作品展暨
成都艺术超市开张仪式

衍生2012
2012.8.27.

主案设计：
陈石 Chen Shi
博客：
http:// 1015750.china-designer.com
公司：
成都主道空间设计工程有限公司
职位：
主创设计师

奖项：
2009金堂奖"国内十大餐饮设计"
2009金堂奖"国内十大办公空间设计

项目：
流水山庄
麓山国际
欧洲房子太原店
丰德国际经理人餐厅
龙湖•时代天街住宅精装房、SOHO酒店式公寓精装房住宅、SOHO、LOFT公区
龙湖•世纪峰景2#楼精装房

拾得雨林实践中心
Someone's Soil Practice Center

A 项目定位 Design Proposition
该项目有其丰富的背景故事、文化内涵为基础，立足于成都创意园区东区音乐公园内，定位为天籽生物多样性发展中心成都体验传播与践行的窗口文化创意项目。设计中利用环保可再生材质体现大奢若简，大巧若拙的核心。

B 环境风格 Creativity & Aesthetics
该项目建在成都东区音乐公园内，园区整体为老工业厂房loft风格，有浓郁的音乐酒吧文化气息。该空间与其大氛围融为一体，而又独树一帜。在休闲的文化氛围中，体现公益慈善精神。

C 空间布局 Space Planning
拾得雨林实践中心由天籽、天籁、天桥组成，分别完成推介平台、精神堡垒、高端影响力拓展场、圈层汇聚场、大型发布会等功能诉求。

D 设计选材 Materials & Cost Effectiveness
在设计中以环保可再生材质（竹、棉、麻、快生木、夯土墙等），用自然的材质，环保的材质，体现该空间背后感人的故事。

E 使用效果 Fidelity to Client
目前，该项目已与德国领事馆、法国娇兰、FCC头等舱杂志等建立了慈善合作。

Project Name_
Someone's Soil Practice Center
Chief Designer_
Chen Shi
Location_
Chengdu Sichuan
Project Area_
3,000sqm
Cost_
15,000,000RMB

项目名称_
拾得雨林实践中心
主案设计_
陈石
项目地点_
四川省 成都市
项目面积_
3000平方米
投资金额_
1500万元

主案设计：
周炯焱 Zhou Junyan
博客：
http:// 1015817.china-designer.com
公司：
四川大学艺术学院环境艺术设计系
职位：
系主任

奖项：
CIID全国新人杯青年室内设计大奖赛导师奖
2009中国首届地域文化室内设计大奖赛专业组银奖

项目：
西藏文成公主公园及大型实景演出《文成公主》剧场
成都宽窄巷子文化保护片区接待中心设计
成都市望江楼公园薛涛纪念馆
成都东郊工业文明博物馆
青川地震遗址公园
青川青溪古镇风貌改造

西来古镇西清鉴博物馆
Xiqingjian Museum of Xilai Ancient Town

A 项目定位 Design Proposition
现代空间及手段表现传统文化内容，这正是业主古镇开发理念。古镇原汁原味，设施现代、交通现代、游览方式现代。公众免费参观。

B 环境风格 Creativity & Aesthetics
原有建筑机理保留，少装饰，以展品本身为中心。古镇固有风格、展览内容为设计线索，从平面设计、布展设计出发营造空间。

C 空间布局 Space Planning
小空间，多变化。移步换景。以展示内容转变空间，形成空间连续性。

D 设计选材 Materials & Cost Effectiveness
大多数材料为定制。原创设计。

E 使用效果 Fidelity to Client
古镇游览最重要景点。

Project Name_
Xiqingjian Museum of Xilai Ancient Town
Chief Designer_
Zhou Junyan
Participate Designer_
Zhang Qi, Geng Xin, Wang Feng, Wu Juan, Fei Zuoya
Location_
Chengdu Sichuan
Project Area_
260sqm
Cost_
3,000,000RMB

项目名称_
西来古镇《西清鉴》博物馆
主案设计_
周炯焱
参与设计师_
张祁、耿新、王凤、吴娟、费作芽
项目地点_
四川省 成都
项目面积_
260平方米
投资金额_
300万元

古榕妙境

茶乡
灵性

主案设计：
于丹鸿 Yu Danhong
博客：
http:// 1015269.china-designer.com
公司：
重庆朗图室内设计有限公司
职位：
设计总监

项目：
菩提素餐厅
华西口腔医院
沐思城市酒店
97号新食坊
福州遇•咖啡
莲花酒吧
爱上酒吧
one餐厅

华西口腔医院重庆大学城门诊
Chongqing University Town Outpatient Service

A 项目定位 Design Proposition
华西口腔重庆大学城门诊，处于重庆开发新区大学城片区，主要提供给城市中高收入人群的口腔健康服务。作为设计初始的想法：让口腔医疗离病痛更远而成为愉快生活的部分；让一个看病的过程成为一个艺术鉴赏和参与的行程。

B 环境风格 Creativity & Aesthetics
简约而亲切，把当代艺术融合进医疗空间。

C 空间布局 Space Planning
流线的趣味性，作为一个治疗过程中必须穿行其间的访客，给予其动线上的趣味性。建筑为5米层高的两层楼空间，首层设置夹层，夹层起到贯通连接两层楼的空间作用。在与首层平面动线交叉的位置建立了一个天桥，形成了不同的视点和风景。开放的楼梯间也可与首层的治疗空间形成视线上的互动。

D 设计选材 Materials & Cost Effectiveness
简单，作为一定预算控制内的方案，材料均为普通的地砖，乳胶漆，木饰面和玻璃。通过简单的材料制造一个清楚干净的基础面，而各个面可见的当代艺术画作才是信息的主要提供者。访客可以购买收藏陈列的画作，在口腔医疗空间里有着一个艺术画廊的氛围。

E 使用效果 Fidelity to Client
到访者均感受到了不一样的医疗环境，感受到了更亲切的氛围，和强烈的艺术气质，在口腔医疗行业有很高的社会评价。

Project Name_
Chongqing University Town Outpatient Service of Huaxi Stomatological Hospital
Chief Designer_
Yu Danhong
Participate Designer_
Li Xiang
Location_
Chongqing
Project Area_
453sqm
Cost_
1,000,000RMB

项目名称_
华西口腔医院重庆门诊（大学城）
主案设计_
于丹鸿
参与设计师_
李响
项目地点_
重庆
项目面积_
453平米
投资金额_
100万元

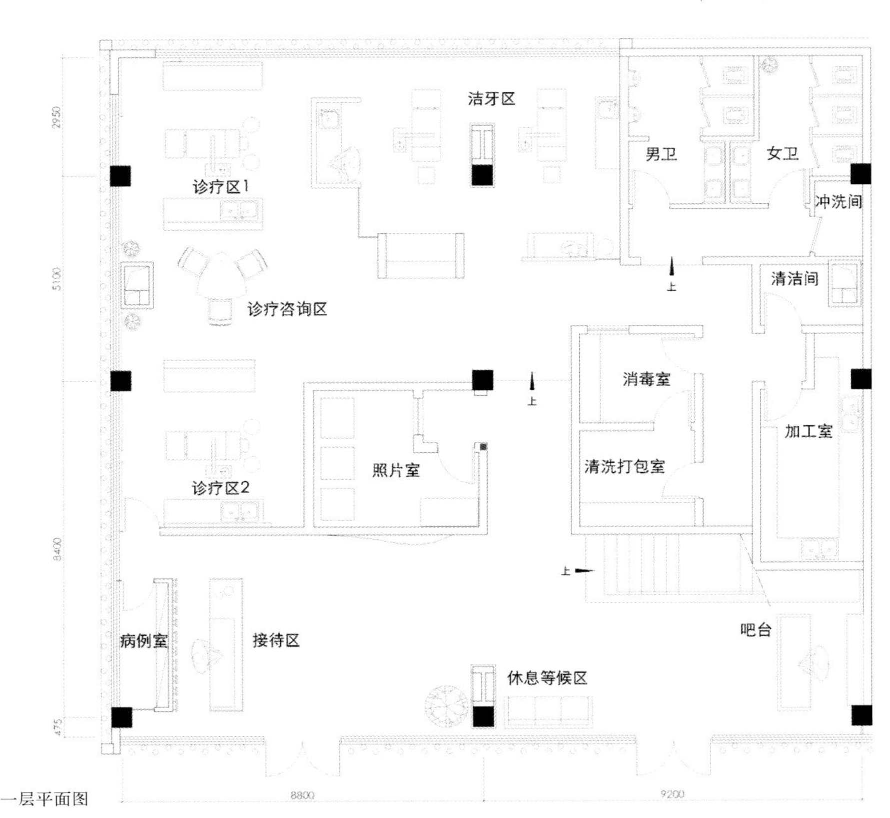

一层平面图

关于我们
华西口腔重庆门诊 医生团队
微创种植牙

华西口腔医疗门诊
WEST CHINA DENTAL CLINIC

图书在版编目（CIP）数据

顶级公共空间 / 金堂奖组委会编． -- 北京 ： 中国林业出版社，
2013.3（金设计系列）
ISBN 978-7-5038-6837-5

Ⅰ．①顶… Ⅱ．①金… Ⅲ．①公共建筑－室内装饰设计－作品集－世界－现代
Ⅳ．①TU242

中国版本图书馆 CIP 数据核字（2012）第 273984 号

本书编委会

组编：《金堂奖》组委会

编写：王　亮◎文　侠◎王秋红◎苏秋艳◎孙小勇◎王月中◎刘吴刚◎吴云刚◎周艳晶◎黄　希
朱想玲◎谢自新◎谭冬容◎邱　婷◎欧纯云◎郑兰萍◎林仪平◎杜明珠◎陈美金◎韩　君
李伟华◎欧建国◎潘　毅◎黄柳艳◎张雪华◎杨　梅◎吴慧婷◎张　钢◎许福生◎张　阳

整体设计：AGE 北京湛和文化发展有限公司
http://www.anedesign.com

中国林业出版社·建筑与家居出版中心

责任编辑：纪　亮、成海沛、李丝丝、李　顺
出版咨询：（010）83225283

出版：中国林业出版社
（100009 北京西城区德内大街刘海胡同 7 号）
网站：http://lycb.forestry.gov.cn
印刷：恒美印务（广州）有限公司
发行：新华书店北京发行所
电话：（010）8322 3051
版次：2013 年 3 月第 1 版
印次：2013 年 3 月第 1 次
开本：889mm×1194mm，1/16
印张：8
字数：100 千字
定价：128.00 元

图书下载：凡购买本书，与我们联系均可免费获取本书的电子图书。
E-MAIL: chenghaipei@126.com　　QQ: 179867195